Comprendre son homme
(pour mieux l'éduquer)

À Corinne, sans qui mon blog, et donc ce livre,
n'aurait jamais existé.

Retrouvez l'auteur sur son blog
lemondedejuliette.over-blog.net

Journaliste, chroniqueuse, consultante et
formatrice en communication interculturelle
depuis plus de 15 ans, Catherine Sandner
a représenté l'est de la France dans l'émission
de Christine Bravo « Douce France ».
Elle est auteur de Guides touristiques
(*Guide City Istanbul* et *Guide Pays Allemagne*
aux éditions Comex/Mondéos)
et du roman *Juliette fait de la télé*
paru chez Stock en 2004.

Direction : Stephen Bateman, Pierre-Jean Furet
Responsables de collection :
Delphine Kopff Hausser, Tatiana Delesalle-Feat
Conception graphique des couvertures
Sarbacane/Jean-Marie Donat
Conception et réalisation intérieure : Jacqueline Bloch
Secrétariat d'édition : Anne Vallet, Charlotte Muller
Fabrication : Amélie Latsch
Contact presse : Camille Carlier
Contact commercial/partenariats : Sophie Augereau

Catherine Sandner

Comprendre son homme
(pour mieux l'éduquer)

hachette
PRATIQUE

Sommaire

Première partie : je pige (enfin) tout !

❧ Pourquoi l'homme ? Parce que ! 10

L'homme, notre défi ! ... 11

L'homme n'est pas une femme comme les autres ... 11

Pourquoi c'est à nous de faire le boulot ? ... 12

Hommes/Femmes, le jeu des sept erreurs ... 13

Égaux mais pas identiques ... 16

Boîte à outils ... 17

❧ Pourquoi l'homme a peur de s'engager ..19

L'urgence à perpétuer l'espèce ... 19

Le prince charmant, une pure arnaque ! ... 20

La femme et sa bite d'amarrage ... 21

L'homme et la femelle pondeuse ... 21

L'homme qui « sait » et « ne pleure pas » ... 22

Le lonesome cow-boy et l'infirmière ... 23

L'homme et son fameux « potentiel » ... 24

❧ Pourquoi l'homme rechigne à communiquer 25

Communiquer, comment ? ... 25

Communiquer, pourquoi ? ... 26

La femme est relationnelle, l'homme est rationnel ... 26

Communiquer, et si c'était un piège ? ... 27

Se taire ou parler ? ... 27

On les laisse vivre ... 28

On n'est pas des snipers   29
On prend exemple sur eux   30
On ne cherche plus les sous-entendus   31

● **Pourquoi l'homme ne sait
pas écouter** **32**

L'homme n'utilise qu'un demi-cerveau
pour écouter   32
L'homme entend deux fois moins fort   33
L'homme n'entend que les mots   33
L'homme est peu réceptif
aux voix de femmes   34
L'homme devient temporairement sourd   34
L'homme a une écoute volatile   35
L'homme a une écoute sélective   35
Conclusion   36
À chacun ses besoins   36
L'homme et sa « caverne »   37

● **Pourquoi l'homme s'épanouit
dans le bordel** **38**

Grand angle versus téléobjectif   38
Une boussole dans la tête   39
Droit au but   40
Une chose à la fois   40
En restant logique   41
Cas pratique n° 1   43
Cas pratique n° 2   44
Cas pratique n° 3   46
Cas pratique n° 4   47

❀ **Pourquoi l'homme n'est pas un bon compagnon de shopping** **49**

L'homme ne comprend pas le shopping 50

L'homme n'aime pas le shopping 52

L'homme ne sait pas faire du shopping 53

L'homme n'éprouve aucun besoin
de faire du shopping 53

❀ **Pourquoi l'homme est-il si égoïste et paresseux ?** **55**

La faute à Dame Nature 56

La faute à la société 57

La faute à la culture 58

La faute à nos mères 59

La faute au travail 60

La faute aux femmes 62

❀ **Pourquoi l'homme est accro aux trucmachinbidules** **63**

Du dada au doudou 64

Le mythe de MacGyver 65

L'influence de la testostérone 65

Le truc qui fait crac, boum, huuu 66

❀ **Pourquoi l'homme est à l'agonie au moindre virus** **67**

Je suis malade, complètement malaaade 67

Performance contre endurance 68

Le mythe du mâle protecteur 69

Mentir pour ne pas faire souffrir 70

Antibiotique anti-mensonge 71

Un mot de sexe 71

Une femme, c'est du boulot 72

◕ **Pourquoi l'homme, ben on l'aime quand même !** **74**

Deuxième partie : je passe à l'action !

◕ **Je renonce aux chimères** **78**

Stooop ! On se réveille et on redescend sur terre 78

Le jardin de la voisine 80

Trop beau pour être vrai 80

Causes perdues 81

◕ **Je développe la tolérance** **83**

Quelques règles de base 84

Bonne mais pas conne 86

Vous n'êtes pas sa mère, vous n'êtes pas sa bonne 87

◕ **Je cultive mon indépendance** **88**

On enterre le prince charmant 88

On coupe le cordon 90

◕ **Je communique à bon escient** **93**

Règle d'or n° 1 : ne jamais forcer un homme à la communication 95

Règle d'or n° 2 : chercher la communication au bon endroit 96

❦ **J'apprends à lui parler** **97**

Le traiter en « pourvoyeur de solutions »
et non en « source de problèmes »   97

Stratégie en 12 étapes   98

Avertissement   104

❦ **Je le motive** **105**

L'intervenant   105

Le processus   106

Et si la bête se rebiffe ?   110

Il reste la solution extrême…   111

❦ **Je m'adapte** **112**

Problématique n° 1 :
l'homme ne trouve jamais rien dans le frigo   112

Problématique n° 2 :
l'homme tire au flanc dès qu'il s'agit
de ménage   113

Problématique n° 3 :
l'homme déteste faire la vaisselle   114

Problématique n° 4 :
l'homme ne sait pas pisser droit   117

Problématique n° 5 :
l'homme squatte la télécommande   118

Problématique n° 6 :
l'homme a un gros poil dans la main   119

Problématique n° 7 :
l'homme n'est pas attentionné   120

❦ **Je persiste et je signe** **122**

Tout n'est pas toujours de la faute
des hommes   122

Conclusion un peu tirée par les poils…   123

Notre truc en plus   125

1

je pige
(enfin)
(enfin)
tout !

Pourquoi l'homme ? Parce que !

Il est temps que la vérité soit mise à jour, qu'elle apparaisse dans les manuels d'éducation et que la gent masculine la regarde bien en face : le genre fondateur de l'humanité est féminin. Au départ, tous les embryons sont féminins et ce n'est qu'au bout de la sixième semaine qu'ils se virilisent éventuellement sous l'action des gènes, entraînant le développement des attributs sexuels masculins. Ces embryons devenus mâles sont d'ailleurs si fragiles que la nature doit en produire jusqu'à 50 % de plus pour arriver à parité. Mais le pire c'est que, biologiquement, l'homme n'a pas de raison d'être. Son apparition au bout de 84 000 années d'humanité exclusivement féminine ne serait qu'un heureux accident. Un chromosome X qui aurait mal tourné en somme. Le chromosome Y est, de plus, menacé par les spermatozoïdes qui se raréfient. La production de sperme chez

conseil ULTRA-fille

Une info de plus pour épater l'homme : il est aujourd'hui possible de mélanger les génomes de deux ovules femelles pour donner lieu à une nouvelle femelle, sans l'intervention du chromosome Y... Pour l'instant, il y a encore un gène qui coince et ça ne marche que pour les souris, mais ça, vous n'avez pas besoin de le lui dire !

l'homme ne dépasse pas celle d'un hamster, sa concentration fait défaut et la fertilité masculine décroît de 1 % par an. Tout porte ainsi à croire que le *poor lonesome* chromosome mâle tout rabougri, vulnérable, incapable de se régénérer et de se recombiner, aura à nouveau disparu d'ici 10 millions d'années. C'est dire s'il nous reste peu de temps pour en faire un homme !

L'homme, notre défi !

D'après la science, Adam et Ève étaient donc des femmes. Mais qu'est-ce qui a pris à leurs descendantes de créer cet homme quasiment superflu à l'espèce humaine ? Et aujourd'hui, pourquoi vouloir nous mélanger à ces rustres sous-développés porteurs d'un chromosome qui compte 40 fois moins de gènes que le nôtre ? Ma théorie c'est que la femme a créé l'homme pour ne plus s'ennuyer dans un monde assommant de douceur et d'harmonie. L'homme est devenu son challenge. Elle l'a voulu brut de fonderie, elle l'a voulu différent et complémentaire, elle l'a voulu source de confrontation et d'évolution. Alors pourquoi se plaindre aujourd'hui des imperfections du modèle et s'évertuer à vouloir le réviser à tout prix ?

L'homme n'est pas une femme comme les autres

D'aucuns objecteront que les filles et les garçons ne divergent que de 300 gènes, soit 1 % de leur patrimoine génétique. Mais la distance génétique des

Des observations cliniques ont permis de démontrer que les différences entre femmes et hommes apparaissent dès le berceau : les filles sont plus observatrices, plus sensibles aux gens, à leurs visages. Dès douze semaines, elles reconnaissent les voix et les membres de leur famille, alors que les garçons en sont incapables. Ces derniers passent leur temps à gigoter ou à dormir et sont plutôt attirés par les objets, les mobiles, etc.

hommes par rapport aux grands singes est elle-même de l'ordre de 1,5 %. Et c'est cette différence apparemment minuscule qui leur a permis de développer le langage. Il n'est donc pas déraisonnable de dire que génétiquement certains hommes sont plus proches d'un singe que d'une femme. Les hommes se démarquent ainsi d'un point de vue psychologique mais aussi neurobiologique. La génétique, la masse musculaire, le cerveau, les hormones sont autant de vecteurs qui influent sur leur comportement et leur ressenti. S'obstiner à attendre qu'un homme réagisse de la même façon qu'une femme, c'est comme nager à contre-courant ou prendre l'escalator à l'envers : stérile, épuisant, contre-productif.

Pourquoi c'est à nous de faire le boulot ?

Parce que nous avons un talent certain pour nous casser la tête, pour nous remettre en cause et pour, avouons-le, manipuler subtilement. S'évertuer à décrypter, à comprendre et à assimiler les différences de nos amis les hommes ne relève pas de la B.A., il en va au contraire de notre intérêt. C'est le meilleur moyen de ne plus prendre le moindre

comportement déviant pour une attaque personnelle et de développer une meilleure harmonie
dans le couple (version politiquement plus correcte
de « garder le contrôle »). La plupart des travers qui
nous exaspèrent tant chez notre compagnon
bipède ne relèvent pas d'une légendaire mauvaise
volonté mais d'un défaut de configuration. Pour
chaque problématique, il existe généralement une
explication et une solution, un moyen de transformer ce travers, sinon en atout, du moins en particularité acceptable, qui ne nous mine plus la vie.

Hommes/Femmes, le jeu des sept erreurs

🍃 **Les muscles et la graisse :** les hommes ont en
moyenne 10 cm et 13 kg de plus que les femmes.
Par contre, ils nous ont laissé la primauté du tissu
adipeux, environ 33 % pour nous, 21 % pour eux.
Nos hormones fabriquent de la graisse pendant
que les leurs fournissent du muscle. Quand on sait
qu'en plus les hommes brûlent 7 fois plus de calories que nous en passant l'aspirateur par exemple,
on se dit qu'il a dû y avoir un bug à la fabrication !

🍃 **Le cerveau :** plus de volume (5 à 10 %), moins de
matière grise (15 %) et beaucoup plus de matière
blanche (primordiale dans la perception de l'espace) pour l'homme, mais surtout une structure et
un mode de fonctionnement très différents en raison de l'épaisseur du corps calleux.

🍃 **Les hormones :** fabriquées dès le plus jeune âge,
elles entraînent des caractéristiques physiques et

sexuelles mais agissent également sur le comportement. La masculine testostérone tend à doper, intervient sur la libido et la virilité (pilosité, voix grave…), favorise l'activité, voire les pulsions d'agressivité. Alors que les féminins œstrogènes, responsables de notre fonctionnement cyclique, calment et annihilent ces pulsions.

🌸 **Les émotions :** la fonction « sensibilité aux besoins émotionnels de l'autre » ne semble pas avoir été programmée chez l'homme, alors que la femme est naturellement prédisposée à percevoir les émotions, à se souvenir des événements associés à ces émotions, à en décortiquer les significations métaphysiques. L'homme a une mémoire plus rationnelle, il fonctionne au premier degré. Il partage des faits, pas des sentiments.

🌸 **Le langage :** un domaine dans lequel les femmes sont définitivement plus précoces, plus prolifiques et plus demandeuses que les hommes. Alors que le quota quotidien d'un homme est d'environ 7 000 mots, il frise les 20 000 pour la femme. Voilà pourquoi, en rentrant au bercail, l'homme est souvent à sec face à une femme avide d'exploser son quota.

🌸 **Le look :** dès le berceau, la fille a plus de vêtements que le garçon. La garde-robe féminine compte habituellement plusieurs dizaines d'articles supplémentaires. Une question de goûts mais aussi de couleurs puisque l'homme a du mal à les distinguer, leur perception étant fournie par le chromosome X. L'homme aura un pantalon foncé là où la femme en aura un noir, un brun, un kaki, des couleurs qui pour lui se valent !

● **Les tâches domestiques :** la participation des hommes aux tâches ménagères socialement si peu valorisantes n'a guère augmenté et les femmes, même quand elles travaillent, assurent toujours 80 % des activités domestiques, dont 96 % du linge, 86 % du ménage et 79 % du soin des enfants. 9 % des femmes ont même profité des 35 heures pour… y consacrer encore plus de temps. C'est aux hommes cependant que l'on doit 92 % des coups de klaxon au feu, ça au moins, c'est viril, c'est fort, ça fait avancer la société !

Blog de mec …

J'aime pas les fers à repasser. Ah non !
Si y a bien un truc que je déteste faire,
c'est repasser mon linge. C'est pénible
comme truc… Hé, attention, n'allez pas croire
que je n'aime rien faire chez moi, j'adore
tremper mes mains dans l'eau de vaisselle,
par exemple, et c'est toujours moi qui fais
les courses… mais repasser ! J'ai connu
une femme (la maman d'une de mes ex)
qui adorait repasser… Elle disait que c'était
un truc formidable, que ça lui vidait la tête !
J'aurais dû rester avec sa fille (qui était pas

trop sympathique, et qui avait la tête assez vide d'avance) que pour garder sa mère-repasseuse ! Noella, elle s'appelait, cette dame ! Quand je pense qu'il y a sur terre un gendre gâté qui ne repasse jamais son linge parce que sa belle-mère tient absolument à le faire !.... la vie est mal faite ! En même temps, c'est pas pour casser l'image de Noella, mais elle était un peu fofolle ! Noella suivait « Les feux de l'amour »... jusque-là, rien d'étonnant... sauf qu'elle le suivait sur le Téléstar ! Elle ne le regardait jamais ! Tous les lundis, elle achetait le nouveau Téléstar pour connaître (sic) « la suite de son feuilleton » ! Elle ne connaissait même pas la tête des protagonistes ! Enfin, malgré tout, Noella repassait mon linge, et là, en cet instant précis, où je me bats avec une chemise à faux plis, je regrette sincèrement sa pimbêche de fille... pour mon linge (pas pour elle, je vous assure !). Mercutio (http://bouffeur2yahourt.canalblog.com/) ...

Égaux mais pas identiques

Nous parlerons toujours ici de moyennes statistiques, de tendances, de généralités forcément un peu simplistes sachant qu'aucun homme ne possède jamais 100 % des attributs attachés à son genre. On estime d'ailleurs que 20 % des hommes ont un cerveau de type féminin et 10 % des femmes un cerveau de type masculin. Les différences individuelles pèsent souvent davantage que celles du genre. Tout le monde s'accorde à trouver les hommes globalement plus grands, ce qui n'empêchait pas Nicole Kidman de dépasser Tom Cruise d'une douzaine de centimètres. Même si les scientifiques considèrent le caractère comme congénital à seulement 1/3, il n'en reste pas moins que les hormones et les neurotransmetteurs biologiques induisent dès la conception des orientations qui laissent peu de prise à la culture ou à l'éducation. Prétendre qu'hommes et femmes sont identiques va non seulement à l'encontre de la science, du bon sens et de l'expérience pratique, mais empêche de remettre en cause ses propres attitudes.

Boîte à outils

Comme disait Jean Rostand : « Il est dans la nature de l'Homme de lutter contre la Nature. » Il n'est donc pas question ici de prôner un

⚘ le mot de la pro

Le cerveau masculin pèse environ 200 g de plus que celui de la femme ; peut-on pour autant en conclure, comme Paul Broca au XIXᵉ siècle, que « la petitesse relative du cerveau de la femme dépend à la fois de son infériorité physique et de son infériorité intellectuelle » ? Le poids du cerveau n'a aucune incidence sur les capacités intellectuelles mais serait proportionnel au poids du corps. Si l'homme persiste à vous chatouiller à ce sujet, dites-lui que la différence est sans doute due au surpoids de ses pensées sexuelles, et toc !

déterminisme quelconque justifiant l'immobilisme mais au contraire de disposer d'outils permettant de corriger certains dysfonctionnements. Que les données scientifiques soient contestables ou non m'importe peu, du moment qu'elles fournissent des pistes pour une meilleure compréhension de l'autre. Changer ce qui peut l'être et accepter ce qui ne peut être changé, voilà l'idée. Il m'a toujours semblé plus intéressant de me demander ce que je peux faire, moi, pour faire évoluer une situation plutôt que d'en blâmer les autres. C'est le *deal* aujourd'hui : comprendre les hommes plutôt que de les vilipender, transformer leurs différences en sources d'enrichissement et adapter notre comportement pour vivre en meilleure harmonie avec eux.

Côté homme	Côté femme
chromosome Y en voie d'extinction	chromosome X apparu le premier sur Terre
influence de la testostérone	influence des œstrogènes
cerveau bipolaire	interférence des deux hémisphères
quota de 7 000 mots/jour	quota de 20 000 mots/jour
mémoire factuelle	mémoire émotionnelle
plus de muscle et cerveau plus lourd	plus de matière adipeuse et de matière grise

Pourquoi l'homme a peur de s'engager

Nous avons parlé de génétique et de biologie, de différences objectives et scientifiques entre l'homme et la femme mais l'influence de l'acquis (estimé à 1/3, le dernier tiers étant héréditaire) n'est pas à sous-estimer. Le cerveau lui-même bénéficie d'une extraordinaire plasticité et voit sa structure évoluer en fonction du vécu et des stimulations de l'environnement. Les circuits neuronaux sont fabriqués par notre histoire personnelle, avec seulement 10 % des connexions établies à la naissance. Et parfois, pour comprendre l'homme, il faut remonter à Cro-Magnon. Tout comme on sait que nos ancêtres n'ont pas acquis la marche du jour au lendemain, il faudra encore quelques siècles avant que l'homme ne s'émancipe d'habitudes obsolètes ancrées depuis plusieurs millions d'années.

L'urgence à perpétuer l'espèce

S'engager, c'est renoncer à se multiplier alors que varier les partenaires – histoire de ne pas mettre tous ses spermatozoïdes dans le même panier – donne plus de chances de se reproduire. Aujourd'hui encore, certains animaux sont limités

La biologie aurait enfin percé le secret des blondes. La blondeur serait en effet le signe d'un niveau élevé de progestérone, l'hormone de la fertilité. L'homme étant génétiquement programmé pour repérer d'instinct la femelle fécondable, la blonde attire le mâle comme le paratonnerre la foudre. Même la plus blonde d'entre nous comprendra l'équation : femme blonde = promesse de fertilité = survie de l'espèce assurée. Heureusement, le gène est en récession et les blondes en voie de disparition, on va bientôt être tranquilles !

dans leur capacité à copuler plusieurs fois avec la même femelle. De plus, au temps des cavernes, le taux de mortalité était tel que l'homme ne pouvait pas se permettre la monogamie. Il lui fallait bien accueillir les femmes qui perdaient un à un leurs hommes décimés par les meutes rivales, initiant ainsi la version préhistorique de la famille recomposée.

Le prince charmant, une pure arnaque !

Quand il embrasse métaphoriquement sa belle pour la faire revenir à la vie, le prince charmant n'a en réalité qu'une hâte, c'est d'en entreprendre une autre. Sa philosophie c'est : profitons de chaque occasion, semons à tout vent et voyons ce que l'avenir nous réserve, d'où une certaine, disons, insouciance dans les rapports. L'homme agit d'abord et réfléchit – éventuellement – après. Alors, retenir un homme, mission impossible ? Pas si sûr. Parfois de nouveaux atours, une modification dans la coiffure ou dans le look peuvent suffire à faire illusion. Il faut juste lui donner l'impression d'être mille femmes en une.

La femme et sa bite d'amarrage

Nous autres femmes, à l'inverse, sommes programmées dès notre plus jeune âge pour la monogamie. Biberonnées à Blanche Neige, au « Je vous salue Marie », au modèle d'abnégation de la figure maternelle, au prince charmant qui viendra nous chercher… et après notre vie aura un sens car « ils se marièrent et eurent beaucoup d'enfants ». Nous sommes ainsi conditionnées pour nous accrocher à un homme comme une moule à un rocher… au point d'être parfois bien peu regardantes sur l'état du rocher.

L'homme et la femelle pondeuse

Alors que nous ne vivons que pour « l'amour toujours » et que notre nature nous prédispose à la fusion, par la maternité en particulier mais aussi par l'acte d'amour qui nous oblige physiquement à nous ouvrir à l'autre, l'homme, lui, aime faire les choses seul (il s'entend d'ailleurs très bien avec sa main droite…). Alors que notre bonheur dépend encore trop souvent de l'identification et de l'attachement à l'être aimé, l'homme aime à penser qu'il se suffit à lui-même et souvent l'amour lui « tombe dessus ».

conseil filles

À chaque fois que le regard de votre homme bifurque vers une consœur bien chaloupée, dites-vous que ça n'a rien de personnel. C'est juste un vieux réflexe de son cerveau reptilien. Il est attiré par la chair fraîche comme vous pouvez l'être par un éclair au chocolat dans une vitrine. Regarder en salivant est une chose, consommer en est une autre !

Alors que nous sommes des êtres éminemment relationnels, l'homme est un loup solitaire qu'on vient déranger dans sa tanière. Nous sommes conçues pour la coopération, ils sont conçus pour la compétition et se méfient comme de la peste des émotions et des sentiments, ces trucs pas clairs qui vous grattent et vous collent à la peau.

L'homme qui « sait » et « ne pleure pas »

À l'époque de l'homme chasseur et guerrier, l'émoi représentait un danger de mort. Montrer ses émotions, c'était dévoiler sa faiblesse et pousser l'ennemi à l'attaque. L'éducation perpétue aujourd'hui ce conditionnement : un homme c'est fort, ça garde son sang-froid, ça n'a besoin de personne. L'homme rêve d'indépendance, d'une existence sans entrave. Il compartimente ainsi sa vie entre le travail, le sport, les potes, passe de meute en meute en perpétuant les rituels de rigueur et, dans le couple, se démarque à grand renfort de « soirées entre potes » ou de « charrettes au bureau ». Pour vivre en harmonie avec l'homme, la femme devra apprendre à comprendre et à accepter son besoin de faire deux pas en arrière dans l'autonomie à chaque fois qu'il fait un pas en avant dans l'intimité.

Le *lonesome cow-boy* et l'infirmière

Élevé dans la mythologie de Rocky, de Clint Eastwood, de MacGyver et consorts, l'homme a développé le syndrome du « je me débrouille tout seul », associé au goût de l'aventure et du risque. Dans son inconscient, la virilité – « être un homme » – passe par sa capacité à trouver seul des solutions à ses problèmes. Même quand il achète un meuble en kit, il préfère passer 15 heures à batailler avec les différents éléments plutôt que de se rabaisser à lire le manuel d'assemblage. Dans une relation de couple, l'homme veut être admiré, il a besoin de se sentir utile, de sentir que VOUS avez besoin de lui, de bomber le torse, de passer son bras autour de vos épaules et de vous rassurer d'un « je suis là, poulette ». C'est pourquoi les femmes « libérées » le font tellement flipper. Et fuir. Ce syndrome est en totale opposition avec le côté « maternel » des femmes, perpétuellement en quête d'un prochain à aider. Elles commettent ainsi deux erreurs :

1. Choisir un homme « à réparer » au lieu d'un compagnon opérationnel.

2. S'évertuer à vouloir « aider » leur homme malgré lui.

L'homme et son fameux « potentiel »

Le monde est peuplé d'hommes qui ont un formidable « potentiel » et qui ne l'exploiteront jamais. Comme disait Nathalie Wood : « Le seul moment où une femme réussit à changer un homme, c'est quand il est bébé. » Car un homme ne change pas dans sa nature. Ce que vous choisissez, c'est ce que vous avez devant vous. Aidez-le s'il vous le demande mais attention, s'il a l'impression de vous devoir sa réussite, s'il se sent dépendant de vous ou incapable d'atteindre vos standards, il risque de finir par vous en vouloir et par vous le faire payer. Il tend alors à lâcher la barre et à se laisser entraîner par un vicieux courant passif/agressif. Et, à la place de la reconnaissance attendue, vous récolterez aigreur, frustration ou découragement. L'homme aura changé, mais pas dans le bon sens… et il ne vous plaira plus.

Pourquoi l'homme rechigne à communiquer

Avec son fameux quota de 20 000 mots par jour, la femme n'est jamais rassasiée. Elle est tellement pressée de communiquer qu'elle est largement en avance sur l'homme dans l'acquisition du langage. Dès la maternelle, elle parle quatre fois plus que le petit garçon. Elle est peu concernée par la dyslexie et le bégaiement. Les femmes sont également deux fois plus nombreuses à s'intéresser aux livres. Une langue ne leur suffisant pas, elles sont plus douées pour les langues étrangères. Elles passent trois fois plus de coups de fil et restent pendues au téléphone trois fois plus longtemps. Bref, leur supériorité verbale est incontestable, et pourtant… les hommes réussissent quand même l'exploit de provoquer près de 96 % des interruptions dans une conversation.

Communiquer, comment ?

L'homme éprouve lui aussi des émotions, il en aurait même plus que nous, mais il ne les admet pas et les intériorise. Quatre autistes sur cinq sont des hommes. Les psys ont une clientèle féminine à 90 % mais les hôpitaux psychiatriques comptent deux fois plus d'hommes que de femmes. Le mâle est un être doué de sentiments, mais il ne sait pas les formuler, les traduire en mots, car il doit jongler entre deux hémisphères du cerveau qui régissent respectivement le langage et les sentiments. En plus, il n'en voit pas l'utilité.

Communiquer, pourquoi ?

La femme parle en vrac et en désordre, en passant du coq à l'âne. Pour elle, la communication est un but en soi, un moyen de partager, de se connecter à l'autre, de renforcer l'intimité, de se soulager aussi, de clarifier ses idées ou même, de trouver… ce qu'elle veut vraiment dire. Le réservoir n'est jamais vide. Ne pas avoir de « sujet de conversation » n'empêchera jamais deux femmes de papoter jusqu'à plus soif. Pour l'homme, communiquer doit avoir un but autre que la simple expression des sentiments, une finalité qui serait par exemple de trouver une solution à un problème. La communication doit être factuelle, immédiate, concise, directe et quand c'est dit, c'est fini.

La femme est relationnelle, l'homme est rationnel

Là où, chez nous, le silence traduit souvent un état de fulmination et de rumination intense des sentiments, chez l'homme, le silence traduit généralement le… rien. Alors que nous sommes en train de nous torturer, que nous arrivons par association d'idées à des scénarios catastrophe prévoyant le naufrage inévitable de notre couple, lui en est encore à se demander, le sourcil froncé et l'air renfrogné, qui va gagner le prochain match de foot.

Communiquer, et si c'était un piège ?

Pour l'homme, les mots n'ont pas de sens caché mais une fonctionnalité. Il a du mal à identifier les amorces de conversation qui n'ont rien à voir avec la communication. Il ne comprend pas qu'avec une question du type « Je mets la rouge ou la verte ? », son job est de conforter notre avis, pas de donner le sien. Il ne sait pas reconnaître les moments où la femme veut tout entendre, sauf la vérité : « Tu trouves que j'ai grossi ? ». Il ne sait pas prêcher le faux pour le vrai, ni flairer les traquenards : « Elle est canon ma copine Monique, non ? ». S'il n'est pas beau parleur (et là on ne saura JAMAIS la vérité), il est carrément maladroit, lâchant un « ben oui » fort malvenu, l'air sincèrement consterné quand on finit par éclater en sanglots face à tant de muflerie. Comment voulez-vous qu'il s'y retrouve, alors que nous l'exhortons sans cesse à communiquer sincèrement ?

Se taire ou parler ?

L'homme dispose principalement de ces deux options. Se taire, il en a pris l'habitude par ses longues années préhistoriques passées dans les grands espaces à chasser et à silence garder pour ne point faire fuir la frêle gazelle. À l'époque, il ne rencontrait pas plus de 150 individus dans sa vie. C'est l'option du risque minimum. Parler, il en a

conseil filles

Vous avez encore besoin de parler et pas lui ? Sachez utiliser ces merveilleux canaux de communication que sont le téléphone, le portable et Internet pour diriger votre flux de paroles dans une autre direction. Qui sait si une copine dans la même situation n'attend pas votre appel providentiel pour épuiser son propre quota ?

découvert les vertus et le pouvoir grisant avec le langage : manipuler, vendre, convaincre, conter fleurette, briller en société… Par contre, le mélange des deux, en passant de l'écoute à la parole, ce qu'on appelle communément la communication, l'intéresse beaucoup moins. Si vous analysez bien les conversations entre hommes, vous verrez que, souvent, il s'agit plutôt de monologues qui se chevauchent. Quand les femmes sont en train de changer le monde, les hommes se contentent de refaire le match.

On les laisse vivre

N'oublions pas que l'homme arrive vite au bout de son quota de 7 000 mots dans sa journée de travail et se retrouve fort dépourvu en rentrant au foyer. D'autant que, s'il rechigne à étaler son intimité, l'homme parle plus et plus longtemps que la femme en public, il se lance dans des discours pétris d'importance, il ne s'embarrasse pas d'hésitation ou d'écoute empathique… Et il faudrait qu'il remette ça en rentrant avec un public bien plus exigeant, vous ? Là où vous avez besoin de parler, lui a besoin de débrancher. Et quand l'homme débranche, ce n'est pas à moitié, c'est limite encéphalogramme plat. Ce n'est donc pas le moment de lui parler, encore moins de le faire parler. Il pourrait en arriver à regretter que sa femme ne dispose pas d'un bouton marche/arrêt comme son cher ordinateur ou sa télévision qui savent si bien le distraire (l'abrutir direz-vous), sans rien exiger en retour.

On n'est pas des *snipers*

Soyons clairs, notre talent pour la parole et l'expression des émotions n'a pas que des vertus et la manipulation, le chantage affectif sont plutôt des spécialités féminines. Notre esprit qui mouline et notre sens critique nous rendent intransigeantes, dures envers nous-mêmes, dures avec les autres. Là où la femme voit le moindre cheveu qui dépasse, l'homme ne distingue même pas un changement de coupe. Nous sommes capables d'émettre un portrait critique de nos amies les plus chères, ce que les hommes perçoivent comme quasiment diabolique. Car ils sont bien plus tolérants, ils voient l'autre comme un tout et le prennent dans son intégralité. Demandez à un homme de décrire son meilleur ami et vous obtiendrez au mieux

le mot de la pro

La linguiste suisse Édith Slembek a constaté que les femmes utilisent deux fois plus le conditionnel, cinq fois plus d'expressions limitatives, posent trois fois plus de questions et ponctuent leur intervention d'appels à l'approbation. Comment espérer être prise au sérieux avec des phrases du style : « Excusez-moi, mais pourriez-vous éventuellement me confier ce dossier, si ça ne vous dérange pas ? »

une réponse laconique du genre : « Ben, il est grand. » Les hommes sont tout aussi complaisants envers eux-mêmes, ils ne s'embarrassent pas de culpabilité et partent du principe que tout est de la faute des autres. Ils attribuent ainsi leurs échecs aux tiers, parfois à ce qu'ils font, jamais à ce qu'ils sont. Bref, eux s'aiment comme ils sont.

On prend exemple sur eux

N'aurions-nous pas intérêt à nous inspirer de cette capacité des hommes à la vacuité, à s'étourdir dans le vide, à laisser leur conscience s'occuper d'un rien, nous qui jamais ne mettons notre esprit au repos et qui sans cesse nous posons mille questions ? Nous qui traînons derrière nous tel un poids mort tantôt rancunes, tantôt culpabilité. Nous qui n'oublions jamais rien et restons plaies béantes, incapables de passer à autre chose. Il en va de notre santé mentale. À force de ressasser nos sentiments, de nous laisser affecter par tout et par rien, de charger nos épaules de toutes les peines du monde, des victimes de guerre à la rage de dents de la petite cousine, nous sommes quatre fois plus migraineuses et deux fois plus sujettes

conseil filles

Vous estimez qu'une copine ne fait pas l'affaire pour assouvir vos envies de communication ? Proposez à votre homme un *deal :* faire semblant ! Demandez-lui de vous écouter en fond sonore, sans s'impliquer, sans proposer de solutions, comme s'il écoutait la télévision avec juste quelques « mmm » de-ci, de-là, histoire de faire illusion… Si ça marche pour lui, pourquoi pas pour vous ?

à la dépression que les hommes. Apprenons donc, dans la vie comme dans le couple, à occulter ce qui n'est pas vraiment important pour nous concentrer sur ce qui nous fait vraiment avancer. Apprenons à cultiver toutes seules notre self estime et à nous aimer nous-mêmes. Apprenons à valoriser l'intention qui se cache derrière un compliment boiteux ou un effort maladroit, tant qu'il part d'un bon sentiment.

On ne cherche plus les sous-entendus

La femme doute, toujours. C'est dans sa nature, l'éducation tout comme la société n'ont rien fait pour la rendre plus sûre d'elle. Elle veut constamment faire mieux, arranger les choses, et le couple est son terrain d'expérimentation favori. Même quand tout va globalement bien, c'est ce « globalement » qui va la titiller. Comment faire pour que ça fonctionne encore mieux ? L'homme, lui, n'aime pas tergiverser et déteste les situations d'indécision. Si le produit fait défaut, il ne cherche pas à l'améliorer, il change de crémerie. Plutôt que de ruminer, il tranche dans le vif. Autrement dit, le jour où l'homme voudra, spontanément, parler de votre couple, c'est peut-être pour vous dire que tout est fini. L'homme reste silencieux ? Réjouissons-nous-en ! Tant qu'il ne dit rien, c'est sans doute que, pour lui, tout va bien.

Pourquoi l'homme ne sait pas écouter

Ce matin, elle et lui dans la cuisine, soit 7 m^2 d'une acoustique irréprochable :

Elle : « Zut, il va falloir que je fasse des courses aujourd'hui. »

Lui : « Y a plus rien dans le frigo, tu vas faire des courses aujourd'hui ? »

Comment ne pas devenir chèvre quand l'homme nous pose une question à laquelle on a déjà répondu, et plutôt deux fois qu'une ? Sans compter la vague impression de parler à un mur quand on le sollicite devant la télé ou l'ordinateur. Ni évoquer son incroyable capacité à ne pas laisser la plus virulente des plaintes d'enfant troubler son sommeil. Et bien, une fois de plus, Darwin et la science répondent en chœur : ce n'est pas de sa faute ! En passant le cerveau du mâle au scanner, les experts ont trouvé de quoi dédouaner nos tendres compagnons qui seraient, semble-t-il, des handicapés biologiques de l'écoute.

L'homme n'utilise qu'un demi-cerveau pour écouter

En l'occurrence le lobe de l'hémisphère gauche. Vouloir les mettre à notre niveau en matière d'écoute, nous qui savons si bien stimuler nos cellules nerveuses et solliciter les ressources de nos deux hémisphères en passant avec grâce de l'un à l'autre sous la bonne influence de l'œstrogène, revient donc à faire la course avec un unijambiste.

L'homme entend deux fois moins fort

C'est d'ailleurs pourquoi nous avons souvent l'impression qu'il est en train de nous « crier dessus » alors que lui pense nous parler normalement. C'est vrai que le ton qu'il a le chic d'employer y est pour beaucoup : quand il commence une phrase par « m'enfin, chérie… », nous avons souvent l'impression d'entendre : « T'es conne ou quoi ? »

L'homme n'entend que les mots

Il ne réagit pas à ce qui se cache derrière les mots. Il est incapable de décoder les significations véhiculées par les intonations, alors que la femme – comme nous venons de le voir – entend ce que l'homme dit, mais aussi comment il le dit : le ton, les regards, les postures,

le mot de la pro

La femme est un phénomène d'empathie, capable en l'espace de 10 secondes de repérer, de refléter et de répercuter, par ce qu'on appelle « l'effet miroir », six types d'expressions pour des émotions différentes. Elle est douée pour percevoir la subtile différence d'intonation signalant le changement de sujet et peut aborder plusieurs thèmes dans une même conversation, parfois même dans une même phrase, sans que son interlocutrice n'en perde le fil. De quoi assimiler la femme à une véritable extraterrestre dans l'univers des hommes.

le langage du corps, les expressions du visage… L'homme ne sait pas écouter, mais la femme saisit et interprète tout.

L'homme est peu réceptif aux voix des femmes

D'une part, les voix aiguës sont globalement perçues comme moins crédibles et, d'autre part, l'homme a du mal à en analyser les subtilités et les variations… d'où un sérieux problème de concentration. Quand, par exemple, vous lui expliquez par A + B qu'il doit penser à suspendre les serviettes car, roulées en boules, elles moisissent et ne sèchent pas, il est tout à fait sincère quand il s'exclame : « Je ne comprends rien à ce que tu me dis ! »

conseil
ULTRA-fille

Au lieu de subir la surdité de l'homme, pourquoi ne pas en tirer parti ? Profitez qu'il est plongé dans son occupation favorite pour lui annoncer une nouvelle embarrassante (« Euh, j'ai fait une toute petite rayure sur la voiture ») ou lui poser une question (« Tu veux bien que j'invite mes parents à dîner dimanche (jour de match) ? »). Il vous répondra probablement par un « mmm » affirmatif mécanique. À vous de prendre un air ahuri s'il venait à ne plus s'en souvenir.

L'homme devient temporairement sourd

En raison d'un cerveau bien compartimenté, il est en particulier incapable d'écouter deux conversations à la fois. Quand vous lui parlez alors qu'il écoute ce qui se dit à la télévision, il ne vous entend pas. Littéralement !

Pire, quand son cerveau est au repos, plus de 70 % de son activité électrique est inerte (contre seulement 10 % chez la femme). Si, à ce moment-là, vous le prenez au dépourvu avec une question, vous aurez en réponse, au mieux, un visage hébété.

L'homme a une écoute volatile

Les événements et les informations non fonctionnelles ne laissent pas d'empreinte. À l'inverse, la mémoire de la femme est grandement conditionnée par les émotions qui y sont rattachées, son écoute est connectée à son environnement, elle se souvient des événements comme d'un tout. L'homme, lui, doit tout additionner. D'où sa difficulté à entendre et retenir des détails futiles isolés tels qu'une date d'anniversaire, un dîner chez belle-maman ou la couette à chercher au pressing.

L'homme a une écoute sélective

Il l'a héritée une fois de plus de Cro-Magnon, de l'époque où elle était indispensable à une chasse efficace. Il est programmé pour entendre avant tout l'approche du prédateur. Ce sont donc les petits bruits suspects au milieu du silence, ceux associés au mouvement, à une intrusion potentielle, qui l'interpellent, pas nos cacophonies de bonne femme, ni l'enfant qui s'époumone au milieu de la nuit, ni rien – comme par hasard – de ce qui pourrait le déranger.

Conclusion

À votre prochain échange du style :

Lui dans le salon, elle revenant du balcon :
Elle : « Je crois qu'il va pleuvoir. »
Lui : « Où ça ? » (à Honolulu, bien sûr !)

Elle dans le lit, lui pénétrant dans la chambre à la moquette immaculée :
Elle : « Fais attention aux chaussures. »
Lui : « Quelles chaussures ? » (ben celles du voisin, voyons !)

Elle et lui dans n'importe quelle situation :
Elle : « Tu as encore… (compléter avec le dernier grief d'actualité). »
Lui : « Qui ça ? Moi ? » (non, le mec juste derrière toi !)

Soyez charitable, laissez-lui le temps de réactiver son cerveau et donnez-lui les quelques secondes nécessaires pour que l'information arrive jusqu'à sa conscience.

À chacun ses besoins

Enfin, impossible de clore ce chapitre en faisant comme si le manque d'écoute de l'homme ne s'expliquait que par la physiologie. Parfois l'homme n'est pas apte à nous écouter pour des raisons purement psychologiques. Et nous devons une offrande à l'autel de John Gray qui, dans son *Les hommes viennent de Mars, les femmes viennent de Vénus,* nous a mis face à une vérité toute simple : les hommes et les femmes n'ont pas les mêmes besoins. Réagir dans une situation donnée en fonction de la façon dont nous aimerions que l'on réagisse vis-à-vis de nous-mêmes est une des plus grandes sources de malentendus au sein d'un couple. Quand nous sommes stressées ou contrariées, nous autres femmes avons besoin de parler, d'exprimer nos sentiments pour évacuer la frustration, eux ont besoin de s'isoler pour retrouver leur autonomie et mettre de l'ordre dans leurs idées.

L'homme et sa « caverne »

Ce phénomène est incompréhensible pour une femme qui ne coupe la connexion que si l'heure est grave et qu'elle se sent profondément blessée. À défaut de comprendre, il nous faut pourtant accepter ce besoin impérieux qu'éprouve parfois l'homme de se retrancher dans sa « caverne », dix minutes, dix heures, dix jours… qu'importe ! Mais admettons qu'à ce moment-là, il n'est pas « disponible » à l'écoute, à l'échange. Assimilons enfin que ÇA N'A RIEN À VOIR AVEC NOUS ! Sachons ne pas le brusquer, attendons sagement son retour et forçons-nous à l'accueillir avec bienveillance quand il sort de sa caverne (qui peut prendre diverses formes : mutisme à rallonge, marathon de jeux vidéo, nuits blanches sur l'ordinateur, zapping incontrôlé… tant que ses capacités intellectuelles ne sont pas sollicitées à plus de 5 %). À sa sortie (car il finit toujours par sortir), il n'en sera que plus aimant, reconnaissant, bien disposé… à nous écouter pendant des heures (attention à ne pas louper le coche !).

Pourquoi l'homme s'épanouit dans le bordel

Aucun élément scientifique ne venant corroborer la thèse selon laquelle l'homme éparpille ses affaires à travers la maison pour marquer son territoire, il est plus probable qu'il s'épanouit dans le bordel tout simplement parce qu'il ne le voit pas ! Car non seulement, l'homme n'entend rien, mais il ne voit rien… ou du moins il n'a pas du tout le même type de vision que nous.

Grand angle *versus* téléobjectif

Une fois de plus, il faut remonter au temps des cavernes pour bien comprendre nos subtiles différences en la matière. À l'époque, Monsieur Cro-Magnon allait donc chasser pendant que Madame Cro-Magnon gardait le foyer. Alors que Madame perpétuait ainsi une vision « périphérique » grand angle, 360° haute définition, indispensable pour veiller à sa progéniture tout en repérant le prédateur s'approchant du nid, Monsieur développait une vision « en tunnel », au téléobjectif, pour viser sa proie dans de vastes plaines sans se laisser parasiter par l'environnement. Résultat : il voit parfaitement de face et de loin mais mal ce qui est pourtant sous son nez.

Une boussole dans la tête

L'évolution de l'espèce étant tributaire de la capacité de l'homme à pister à la fois la proie (manger) et la femelle (se multiplier), la nature a doté son cerveau d'une matière blanche proéminente. C'est cette matière, responsable de l'habileté spatiale, qui, associée au caractère compartimenté de son cerveau, lui permet de bien gérer les grandes étendues et sa situation dans l'espace qui l'entoure. Comme, de plus, il lui fallait bien rentrer au bercail et retrouver son chemin, l'homme des cavernes a développé une excellente appréciation de la géographie et des distances. Encore aujourd'hui, l'homme se repère d'instinct, visualise très bien les raccourcis éventuels et calcule spontanément le rapport distance/ vitesse/ direction = temps d'acheminement. Vous comprenez mieux à présent pourquoi c'est pour lui une insulte à son ancêtre Cro-Magnon que d'avoir à demander son chemin !

le mot de la pro

Un petit mot s'impose pour remettre dans leur contexte les références à Monsieur et Madame Cro-Magnon, les Bidochon de la préhistoire. Bien entendu, ces références sont imagées, schématiques, à prendre comme mythe fondateur et non littéralement. En vérité, la femme préhistorique n'était pas qu'un simple faire-valoir du mâle victorieux, confinée à l'aire domestique. Certes, de par la maternité, elle était plus statique mais participait aussi aux activités du groupe : charognage, dépeçage... C'était quand même plus chouette que le tricot !

C'est la neuropsychologue américain Camilla Benbow qui, en passant le cerveau de millions d'hommes et de femmes au scanner, a découvert cette capacité typiquement masculine de voir mentalement une troisième dimension : la profondeur. D'où le talent inné des hommes pour les jeux vidéo (mais aussi le golf, les puzzles...), leur prédisposition pour certains métiers (ils représentent 99 % des contrôleurs aériens, 91 % des architectes...) et leur aisance à jongler avec un plan, dont la troisième dimension virtuelle échappe aux femmes.

Droit au but

La survie de l'espèce dépendait jadis de la rapidité de la réaction et des capacités physiques du mâle chasseur et ensemenceur confronté à un environnement éminemment hostile. Aujourd'hui où, logiquement, l'utilisation de son intelligence cérébrale, maturée par l'expérience, aurait dû remplacer celle de sa musculation et de ses pulsions primaires, l'homme a gardé les mêmes réflexes. Il est génétiquement programmé pour aller droit au but, le plus vite possible, et pour peu qu'il ne trouve pas tout de suite ce qu'il cherche, c'est la débandade : stress, poussée d'adrénaline, pic de tension, ulcère, voire infarctus... autant d'affections auxquelles il est plus prédisposé que nous.

Une chose à la fois

Alors que nous autres femmes, sous la bonne influence de l'œstrogène, jouissons d'un cerveau « multi-tâches » et d'une capacité à jongler avec 36 choses à la fois, l'homme hérite d'un cerveau

« mono-tâche ». Il est tout simplement incapable de faire deux choses à la fois : écouter ET conduire ou marcher ET mâcher un chewing-gum ! Ou encore : utiliser la serviette ET la suspendre. Ôter ses chaussettes ET les mettre dans le panier. Faire pipi ET viser ET remonter la lunette (épuisé rien que d'y penser).

En restant logique

C'est vrai que nous autres femmes tendons à imposer aux hommes la loi des trois T : Tout, Tout de suite, Tout le temps ! Nous aimerions ainsi qu'il range immédiatement ce qu'il a déplacé ou utilisé, d'autant que nous avons de sérieux doutes quant à sa propension à le faire plus tard. Lui, il ne trouve pas ça logique. Pourquoi fermer le tiroir après en avoir sorti son slip puisqu'il l'ouvrira à nouveau pour prendre ses chaussettes ? L'homme prétend qu'il rangera tout « d'un coup », arguant que c'est bien plus pratique. Mais il sait bien que notre degré de tolérance est inférieur au sien. La vérité ne serait-elle pas plutôt que l'homme attend et espère que, d'exaspération, nous finissions par nous en charger pour lui ?

Blog de fille ...

Dès le réveil, mon homme se lève en faisant valser draps et coussins, il se déshabille et abandonne son pyjama dans le lit, puis prend ses vêtements en laissant armoires et tiroirs béants. Il va faire pipi en visant comme il peut (mon homme estime que c'est à la femme de relever la lunette des toilettes), puis prend une serviette pour les mains, une autre pour la douche et les deux finissent roulées boulées dans un coin, rejoignant parfois le tas des vêtements de la veille qui n'atterrissent quant à eux jamais, Ô grand jamais, dans le panier à linge. Il se brosse les dents (parfois), sans reboucher le tube (bien sûr), se lave (à grande eau), se rase et laisse au terme de ce périple toutes sortes de poils et de traînées dans le lavabo d'une salle de bains inondée. En chemin, il aura mis ses chaussures en oubliant ses pantoufles sur place et, au moment de partir, sa tasse de café au lait échouera dans un endroit des plus improbables, avec la bouteille de lait restée hors du frigo, ouverte. Mais mon homme à moi est PIRE que les autres. En effet, il est capable d'arriver dans la cuisine, de me montrer LE bout de pelure que J'AI oublié et de me dire d'un ton exaspéré : « Pourquoi tu ne mets JAMAIS les trucs directement dans la poubelle ? » Comment peut-il seulement arborer cette expression d'horreur et

d'étonnement mêlés quand je lui saute au
visage le couteau de cuisine à la main pour
lui enfoncer la dite pelure dans le gosier ?
Juliette
(http://lemondedejuliette.over-blog.net/) ...

Cas pratique n° 1

Prenons un exemple concret. L'homme a l'intention
de passer la tondeuse. Il va donc chercher la tondeuse, la met en route et tond la pelouse. En général, il aura laissé autant de traces derrière lui que le
Petit Poucet de petits cailloux. En revenant, il se
lavera les mains en maculant le lavabo de boue,
preuve de son labeur et de sa dévotion au foyer.
Prenons maintenant la femme qui a l'intention de
suspendre le linge. Elle va dans la salle de bains
pour chercher le linge et ramasse en chemin le
doudou du petit, range deux ou trois trucs, passe
un coup de chiffon sur un meuble. Elle met le linge
dans le panier, range au passage les ustensiles et
les vêtements que l'homme a laissé traîner dans la
salle de bains. Elle va suspendre le linge tout en
préparant dans sa tête le repas du soir et en repérant la jardinière à nettoyer, les crottes laissées par
le chat du voisin et la plante, là-bas, qui fait triste
mine. Avec sa vision périphérique, la femme est
donc condamnée à avoir constamment l'impression de vivre dans le bordel.

Cas pratique n° 2

Voyons ensuite la façon dont les hommes et les femmes rangent leurs affaires. Dans une armoire, une femme visualise toutes les associations possibles, trouve une place précise pour chaque type d'item, classe les vêtements par catégories et fait le tour de l'armoire à chaque fois qu'elle s'habille (remarquez que parfois elle aussi ne « voit rien », quand elle soupire « j'ai rien à me mettre » devant une penderie pleine à craquer). L'homme, lui, ne s'embarrasse pas d'un tel perfectionnisme et pense utile. Il faut que tout se trouve immédiatement dans un même compartiment car additionner les éléments disparates lui demanderait un effort limite surhumain. Il classe donc par ensembles : la tenue de sport avec chaussures et chaussettes dans un coin, le costume de travail avec cravates dans un autre, etc. De même, quand l'homme part en vacances, il se dit « de quoi aurai-je besoin ? » et emmène le strict nécessaire, la femme se dit « on ne sait jamais » et transvase toute son armoire dans sa valise. Ben oui quoi, on a bien vu de la neige à Istanbul en mai !

Blog de fille ...

Quand il part en vacances, l'homme
emporte un caleçon et un tee-shirt par jour,
et c'est tout. Il oublie son maillot de bain
(il se baignera en caleçon et vous aurez
honte) et compte sur vous pour les affaires
de toilette (il vous piquera votre rasoir rose
de fille avant d'aller au resto) [...] La femme,
elle, se demande s'il va faire 12 ou 47 °C,
si elle aura envie de mettre ce nouveau petit
top et ce qu'elle mettra avec (le pantalon
blanc ou le kaki ? pour éviter toute frustration
elle emporte les deux), si elle aura mal aux
pieds dans ses sandales (et en prend quatre
paires de secours), et si elle risque d'être
invitée au bal de l'ambassadeur (elle plie
donc soigneusement une robe chic au cas
où). Après quoi elle découvre qu'il lui faut
aussi six trousses de toilette parce que les
solaires prennent trop de place, huit maillots
de bain des fois qu'elle se sente grosse dans
les sept premiers, quatre paréos parce
qu'elle aura peut-être envie de changer, cinq
bouquins pour la chaise longue au cas où
elle s'ennuierait, trois pulls différents pour le
soir (un pour 24 °C, un pour 22 °C, un pour
20 °C – il fera 25 °C et elle n'en mettra

aucun), les cinq jupes achetées en février et jamais portées pour cause de climat parisien, un jean parce que ça sert toujours et la moitié des médicaments de la salle de bains [...] Elle ne portera évidemment qu'une jupe, un maillot de bain et un débardeur, avec la paire de tongs la plus moche parce que c'est la plus confortable. Tout en se disant qu'elle devrait porter le reste, histoire que l'homme n'ait pas trimballé tout ça pour rien. Hélène
(http ://www.monblogdefille.mabulle.com) ...

Cas pratique n° 3

Le frigidaire est un autre centre névralgique domestique d'autant plus anxiogène pour l'homme que c'est la femme qui fait et range généralement les courses. Nous savons tous par expérience que l'homme ne trouve jamais rien dans le frigo ! Il s'en défend d'un : « Arghh, mais je sais pas comment tu ranges, t'es pas logique. » Pourtant, notre logique est bien celle décrite par le dictionnaire, soit une « manière de raisonner juste, une suite cohérente d'idées » : les laitages avec les laitages, la viande en haut, les légumes en bas, le solide séparé du liquide… La logique de l'homme c'est « le plus vite possible sans me prendre la tête » ! Et c'est ainsi que l'on retrouve une bouteille de Coca à la verticale qui dégouline sur le fromage pas emballé à côté d'un poireau puant. Il suffit de réceptionner une fois le déménagement confié à quelques potes aux gros bras sans supervision féminine pour comprendre que la logique masculine c'est de boucher les trous au plus vite sans aucune considération qualitative, ni pour la nature ni pour la fragilité éventuelle des choses. D'ailleurs on dit bien LA logique, ce n'est pas un hasard quand même !

Cas pratique n° 4

Imaginez que vous partiez un week-end en laissant l'homme seul à la maison, chargé pour une fois de la gestion du foyer. Il se sera occupé de votre fils chéri pendant deux jours, il aura reçu la visite de sa sœur prise de pitié à la perspective de son pauvre petit frère livré aux affres de la vie domestique, il aura sans doute reçu un ou deux coups de fil de vos amies qui, les malheureuses, lui auront peut-être même laissé un message à votre intention. En rentrant vous demanderez pleine d'impatience : « Alors comment ça s'est passé ? » Et vous récolterez probable-

le mot de la pro

Nos lacunes au niveau de la perception spatiale et notre plus faible réactivité face au danger devraient donner raison au vieil adage « Femme au volant, mort au tournant ». Il n'en est rien. Là où l'homme est prédisposé aux comportements à risque, la femme doute et adopte la prudence. L'homme se veut le plus fort, le plus rapide, la femme n'a rien à prouver. De plus, sa vision périphérique lui donne une nette supériorité dans les carrefours. Résultat ? Les femmes représentent 30 % des conducteurs mais seulement 15 % des accidents.

ment un « bien » sibyllin. Vous arrivez trop tard, les dossiers sont classés. Il oubliera les appels des copines, ne transmettra aucun des potins familiaux livrés par sa sœur et ne racontera pas les bêtises rocambolesques de votre fils chéri. Hélas, l'homme n'est pas observateur, son cerveau n'est pas configuré pour stocker et délivrer les données affectives qui, justement, nous intéressent le plus. Nous n'avons même pas besoin d'y réfléchir. Les informations relatives aux relations humaines sont celles que notre cerveau capte et enregistre le mieux. Nous entrons dans une pièce et déjà notre radar s'est mis en place, nous avons un avis sur chaque personne présente, nous avons déjà tout photographié, analysé, classé, coloré de sentiments et d'émotions, prêtes à ressortir le dossier à la moindre occasion.

Côté homme	Côté femme
cerveau mono-tâche	cerveau multi-tâches
plus de matière blanche	un peu plus de matière grise
vision en profondeur	vision périphérique
logique compartimentée	logique d'ensemble
voit bien de loin et de face	a des yeux derrière la tête
va droit au but	fait 36 choses à la fois
se focalise sur ce dont il a besoin	se dit « on ne sait jamais »
se fie à son plan	prend des points de repère
excellente appréciation spatiale	meilleur angle de vue dans les carrefours

Pourquoi l'homme n'est pas un bon compagnon de shopping

Alors ça, si ce n'est pas un gros fantasme de nana : on s'aime, donc on fait TOUT ensemble. Et pour cet idéal de fusion, nous sommes prêtes à la plus totale abnégation, avec un sens du sacrifice qui, croit-on, nous honore. Combien de samedis pluvieux nous faudra-t-il rester frigorifiées sur un banc de bois inconfortable pour regarder notre idole maison se démener dans un jeu de baballe dont nous ne comprendrons jamais les règles ? Combien de films débiles, combien de soirées viriles et poilues, saoulées par l'indigence des conversations, les rires gras, les relents de cigarette, de bière et de sueur mêlées, allons-nous encore nous imposer avant de comprendre l'inanité de la démarche ? Nous n'en tirons pas de plaisir et nous gâchons probablement le sien. Le pire, cependant, c'est d'imaginer qu'il nous doit la même abnégation en retour et de lui imposer l'épreuve ultime : le shopping, l'arme fatale, la punition suprême. Mais qu'a-t-il fait pour mériter ça ?

L'homme ne comprend pas le shopping

Quand l'homme entreprend d'acheter un pantalon, c'est parce qu'il en a vraiment besoin et si sa femme peut le faire pour lui, ça l'arrange. Elles sont ainsi 50 % à s'occuper de l'achat des sous-vêtements de leur conjoint et 70 % à gérer le budget du ménage.

Quand la femme « doit absolument » faire du shopping parce qu'elle n'a « plus rien à se mettre » alors qu'elle squatte 80 % d'une armoire débordant de vêtements en tout genre, l'homme devient chèvre. En effet, la notion de plaisir le dépasse complètement : le syndrome *Pretty Woman*, la coquetterie assumée, le jeu du miroir et des apparences, l'achat consolateur et baume au cœur, le ravissement sensuel des textures et des matières… il n'y comprend rien. Encore une fois, là où eux sont restés braqués sur la fonctionnalité, nous sommes dans « l'expérience » du shopping. Mais comme la nature est finalement bien faite, elle a doté l'homme d'un sens visuel particulièrement développé qui le rend sensible aux vêtements, au maquillage, aux bijoux et aux divers accessoires de beauté… tant que c'est nous qui les portons !

conseil filles

Quelques trucs pour entraîner malgré tout l'homme dans une séance de shopping : faire miroiter de substantielles économies, prétendre qu'on fera « juste un saut », l'attirer par le magasin d'électronique juste à côté, menacer de jeter son pull fétiche élimé s'il n'en achète pas un autre, évoquer l'idée de prendre SA voiture, lui laisser le gosse, lui promettre de lui confier le caddie, vroum, vroum, et de ne PAS lui demander son avis sur ce qu'on va essayer.

Blog de fille ...

Mon homme est une créature exceptionnelle
pour au moins une chose : quand je reviens
à la maison avec un énorme sac H & M et
délestée d'au moins 100 euros (ce qui fait
pas mal de fringues en monnaie H & M),
culpabilisant vaguement parce que je ne
mettrai pas tout ça avant juillet au bas mot, et
que j'ai déjà 12 exemplaires de chaque article
acheté, il me dit : « Tu as très bien fait, quand
on trouve un truc qui va dans une boutique,
il ne faut surtout pas le laisser passer. »
[...] Il réagit de la même manière quand
j'achète un 24e sac très cher : « Il est très
différent de tous ceux que tu as déjà. »
C'est le monde à l'envers. Franchement, vous
en connaissez beaucoup des mecs comme
ça ? Parce que j'en entends des copines qui
se plaignent que leur homme les engueule
dès qu'elles dépassent deux paires de pompes
dans le placard [...] qui râle quand elles osent
dépenser 50 euros pour un manteau beige
en soldes alors qu'elles en avaient déjà un
noir (un second manteau, mais pour quoi faire
Dieu du ciel, quand on est si bien avec un
anorak de ski bordeaux et bleu marine d'il y a
15 ans ?). Le mien part du principe que tant

que ce sont mes sous que je claque, il s'en
contrefiche. Au contraire, il est ravi que
je me fasse plaisir. Je crois que c'est un saint
(du moins pour cet aspect des choses).
Évidemment, quand il achète un troisième
ordinateur, je ne fais aucun commentaire
et me contente de m'extasier devant l'argenté
délicat de la nouvelle machine. Hélène
(http://www.monblogdefille.mabulle.com/) ...

L'homme n'aime pas le shopping

L'homme n'aime pas l'indécision, les demi-mesures.
Ce qui nous ravit dans le shopping est pour lui une
insondable source d'angoisse, à savoir le choix !
Quand il s'agit d'acheter un ordinateur ou une télé
(rien à voir avec le concept de shopping sensuel et
futile que nous évoquons ici), c'est facile, c'est
rationnel, tout est dans le rapport qualité-prix, dans
la valeur ajoutée technique de l'engin (il n'y a
qu'une femme pour acheter un téléphone pour
son look et une Twingo pour ses boutons colorés).
Mais un pantalon ? Ou un shampooing ? Quand,
dans la même gamme, il existe dix modèles qui se
valent tous, du moins rationnellement, objective-
ment, que faire ? « On n'est pas des fiottes, on ne va
quand même pas choisir au feeling… » C'est ainsi
qu'au supermarché, vous pouvez envoyer votre
homme acheter un pack de lessive et le retrouver

une heure plus tard, une fois toutes vos courses dans le chariot, au même rayon, toujours à hésiter entre les lessives Lambda et Bêta.

L'homme ne sait pas faire du shopping

L'homme souffre, de plus, d'un sérieux handicap physiologique, puisque c'est le chromosome X qui produit les 130 millions de cellules de la rétine de l'œil, qui permettent de percevoir les formes et les couleurs. Or, comme nous le savons tous à présent, les hommes n'ont qu'un chromosome X, alors que les femmes en ont deux. Par ailleurs, il semblerait que plus le taux de testostérone (l'hormone masculine, suivez un peu !) est élevé, plus l'individu a du mal à nuancer les couleurs. L'homme est par exemple incapable de saisir les dégradés subtils d'une robe. D'où une insécurité permanente pour toutes les affaires touchant aux goûts et aux couleurs. Quand, de plus, aucun élément rationnel ne vient contrebalancer ce handicap, le shopping se transforme en véritable séance de torture. L'homme reste ainsi tétanisé par la peur de se tromper. Le niveau de stress du mâle pendant les courses de Noël serait équivalent à celui d'un policier face à une charge de CRS. Vous imaginez mieux à présent l'enfer que peut représenter pour lui l'achat d'un cadeau à votre intention.

L'homme n'éprouve aucun besoin de faire du shopping

L'homme devient chauve ? Bah, ça fait distingué. Il prend du ventre ? Comme c'est charmant ! Ses tempes grisonnent ? Qu'il est sexy ! Globalement, l'homme n'est sensible ni au look, ni à la pub. D'ailleurs, 70 % des hommes se trouvent beaux en se regardant nus dans une glace… contre 20 % des femmes. Et notre soif d'acheter quantité d'accessoires féminins, des jupons affriolants aux crèmes dernier cri, est aussi le reflet de notre insécurité, de notre besoin de faire quantité d'efforts pour rester toujours la plus belle, pour rester désirable et « dans le coup », pour cacher les ravages du temps. La perte des attributs de la jeunesse nous angoisse parce qu'elle symbolise la perte du potentiel reproducteur (que les hommes, eux, gardent quasiment à vie) lié inconsciemment à notre potentiel de séduction. Les siècles de domination masculine ont par ailleurs si bien fait leur œuvre que les femmes ont intériorisé les attentes projetées sur elles, devenant des *fashion victims* consentantes.

le mot de la pro

Le chromosome X est le seul dans la nature à être partagé par les mâles et les femelles. Nous avons déjà vu ici la formidable supériorité de ce chromosome, apparu le premier sur Terre et porteur, aux dernières nouvelles, de 1 098 gènes (contre 78 pour le chromosome Y). De récentes études viennent de mettre en évidence que 25 % des gènes du deuxième chromosome X des femmes, considéré comme « dormants », tendent à échapper à l'inactivation et protégeraient mieux certaines femmes contre la maladie. Et si c'était nous le nouveau sexe fort ?

Pourquoi l'homme est-il si égoïste et paresseux ?

J'entends d'ici souffler le vent de la révolte, tous les hommes de la Terre – cette terre construite de leurs mains – se lever et brandir des panneaux vengeurs en une grande manifestation spontanée interplanétaire. Comment douter de leur générosité alors que tant d'hommes ont donné leur vie pour défendre des idées altruistes comme la démocratie et la justice ? Ne sont-ils pas les inventeurs du concept « liberté, égalité, fraternité », les pourvoyeurs de ce progrès qui a libéré tant d'hommes – et de femmes, les appareils domestiques viennent bien des hommes ! – d'une vie ingrate ? Et comment oser parler de paresse alors que pendant de longs siècles, l'homme trimait 12 heures par jour pour nourrir et subvenir seul aux besoins de sa famille, avant que la femme ne se mette elle aussi au turbin (tout en continuant d'assumer, seule, les tâches domestiques… mais ce n'est pas le moment de jeter de l'huile sur le feu avec la double journée de boulot) ? Alors, oui, quand il s'agit de sujets virils, comme le sport, la guerre, le travail, l'homme est brave, il ne rechigne pas à la tâche, ni aux coups, ni aux blessures, ni au sacrifice ultime de sa personne. Mais pourquoi, dans sa relation amoureuse, est-il si couillon face à nous, femmes inoffensives ?

La faute à Dame Nature

Que serait le monde si la nature n'avait pas octroyé aux hommes une aussi scandaleuse supériorité physique ? Ils sont plus grands, plus forts, avec plus de muscles, un cœur plus volumineux, des os plus gros, une peau plus épaisse, un organisme mieux oxygéné, des poumons plus puissants. De nos jours, ils sont bien obligés de brider la puissance et le pouvoir que leur donne cette force physique, mais avant ? Qu'étions-nous faibles femmes face à eux. Vous imaginez la vie sociale à l'époque préhistorique ? Tu veux pas faire à bouffer ? Paf, un coup de gourdin. Tu me colles un peu trop aux fesses ! Paf, un coup de gourdin. T'as pas envie de faire crac-crac ? Paf, un coup de gourdin et hop, je m'en vais ensemencer vite fait bien fait la première donzelle venue qui se sera

conseil filles

Pour les travaux domestiques, sachant que le plus dur est de combattre la force d'inertie de l'homme et de le faire démarrer, rusons, demandons-lui par exemple de laver juste les verres. Une fois qu'il est chaud, son professionnalisme risque de prendre le dessus. Il poursuivra sur sa lancée et s'occupera du reste, en concluant que, décidément, vous ne savez pas ce que laver veut dire. Pour lui c'est nickel au coton-tige® ; pour vous c'est par-dessus la jambe. Mais oui, mon chéri…

baissée innocemment pour cueillir une fraise des bois. Forcément, l'homme a fini par trouver normal d'obtenir tout ce qu'il veut et naturel de mettre ses désirs au centre de toutes les préoccupations.

La faute à la société

La propension naturelle de l'homme au « moi d'abord » a été largement entérinée par la société. Tous les grands discours qui ont fondé les croyances, les idéaux, les façons de penser des peuples ont été prononcés par des hommes. Longtemps, la femme n'a pas eu la parole. Elle était considérée comme un être inférieur (et c'est aujourd'hui encore le cas dans bien des contrées de ce monde), elle faisait partie des meubles, elle était traitée tantôt avec mépris, tantôt avec condescendance. L'incapacité de la femme mariée était même inscrite dans le Code civil. Songez que le droit de vote des femmes en France remonte à quelque 60 ans à peine. Que la loi autorise depuis 40 ans seulement une femme à travailler sans l'accord de son mari, à gérer ses propres biens et à ouvrir un compte à son nom. Que la légalisation de la contraception en 1967, rendant les femmes enfin maîtresses de leur corps et de leur destinée, a donné lieu à des débats houleux à l'Assemblée. Cette idée que la femme a des

le mot de la pro

S'il reste une émotion bien masculine, c'est la colère. L'homme tend même à l'utiliser pour cacher toutes les autres. Et s'il se montre colérique dans les moments difficiles, c'est souvent qu'il ne sait pas quoi faire d'autre, sinon céder à sa montée de testostérone.

La violence reste l'apanage des mâles, des cours de récréation (74 % des garçons règlent leurs conflits par l'agression, alors que 78 % des filles privilégient la fuite ou la négociation) aux cours de justice (avec 88 % des meurtres imputés aux hommes). Mais gare à ne pas contrarier la femme quand elle a ses règles et que ses hormones s'effondrent !

droits, pire des revendications, est à la fois récente et perturbante pour l'homme.

La faute à la culture

Plus que la génétique, ce sont les normes imposées par les institutions religieuses, politiques, morales, législatives… qui ordonnent le monde et distribuent les rôles. Et comme par hasard, ces normes sont toujours favorables aux hommes. Encore aujourd'hui, les textes de mariage dépeignent l'épouse idéale (dont je ne suis pas, Dieu merci !) comme modeste, obéissante, discrète, « une âme qui ne perd jamais sa douceur » et qui « sait se taire », de quoi ruer dans les brancards ! Dès qu'une profession se féminise, les salaires moyens baissent. 85 % des chefs d'entreprises sont des hommes alors que 75 % des employés sont des femmes. Ces dernières fournissent 2/3 des heures de travail pour seulement 1/10e du revenu mondial. Presque toujours, la culture entérine une subordination hiérarchique de la femme par rapport à l'homme. Pas étonnant que ce dernier s'agrippe à la sécurité que lui procure un système qui le favorise si ostensiblement. C'est la femme qui, en sortant du rang, l'oblige à se remettre en cause et donc à évoluer.

La faute à nos mères

Certes, pendant des siècles, les femmes n'avaient pas le choix. Peut-être même que certaines y trouvaient leur compte. Cependant, en se taisant, elles ont maintenu l'homme dans l'illusion de sa supériorité. Plus grave, elles ont perpétué le système et maintenu leurs fils dans un sentiment d'impunité.

Mettons-nous une seconde à la place d'un homme qui rentre le soir, met les pieds sous une table où l'attend un repas savoureux, sans avoir à se préoccuper de rien. Même à nous, ça nous plairait. On aimerait bien, nous aussi, avoir une « épouse » comme le revendiquait Michelle Fitoussi dans son *Ras-le-bol des Superwomen*. Et probablement n'aurions-nous pas non plus envie, alors, de changer l'état des choses.

Hélas pour la gent masculine, les féministes sont passées par là et l'homme sait à présent que ses actes ont des conséquences, qu'une femme peut le quitter car elle peut se suffire à elle-même.

♫ le mot de la pro

Quelques dates...

1945 : Les femmes votent pour la première fois, le suffrage devient réellement « universel ».

1949 : Simone de Beauvoir publie *Le Deuxième Sexe* prônant l'émancipation des femmes par l'accès à l'indépendance.

1967 : La loi autorise la contraception et, huit ans plus tard, l'avortement avec, en 1975, l'adoption de la Loi Veil... à titre provisoire (!).

2000 : La loi sur la parité en politique est votée pour toute commune de plus de 3 500 habitants.

La faute au travail

Si la vie quotidienne avec un homme nous paraît si laborieuse et si la sanction « mauvaise volonté » tombe si facilement, c'est aussi que le contraste entre leur ardeur au travail et leur mollusquosité domestique nous offusque. Mais dans la tête de l'homme, avec nous, le plus dur est fait. Il nous a séduite, conquise, nous sommes acquise et c'est maintenant le repos du guerrier. Après l'effort, le réconfort ! Alors que le travail reste pour lui une arène permanente de compétition et de remise en cause. Si nous trouvons souvent notre épanouissement dans la relation, il en va tout autrement pour l'homme qui, n'enfantant pas, cherche dans le travail un sens à sa vie. Il reste sa principale source de valorisation. C'est pourquoi un homme au chômage sera plus affecté qu'une femme, n'étant plus en état de garantir la sécurité de sa famille, il se sentira inutile, dépossédé de sa raison d'être, socialement détruit.

Blog de mec ...

Étant moi-même un homme utilisant mon cerveau en mode économie-confort, j'ai déjà souvent été confronté à des tâches répétitives… que je me suis empressé d'automatiser ou de déléguer [..] En tant que grand amateur de raviolis, bolognaise et pizzas, je fus chargé de l'arrosage des tomates. Et quand je parle d'arrosage des tomates, je ne parle pas de 2-3 misérables pieds, mais de 70, situés en moyenne à 50 m des cuves à eau. Soixante-dix pieds qu'il fallait arroser en faisant bien gaffe de n'arroser que le pied lui-même, pas les feuilles [...] Stanislas arrosa une, deux fois... et puis un jour patatras. À l'heure d'arroser les tomates, Stanislas sirotait tranquilou un Oasis tropical, ce pa-res-seux !

Paresseux ? Non, Car Stan' avait passé son dimanche après-midi à bricoler de vieux tuyaux afin de créer un système arrosant quasi automatiquement les tomates (fallait quand même allumer et éteindre la pompe manuellement). Une preuve supplémentaire de ma pilosité palmaire selon certains, à qui je rétorque que si j'ai un poil dans la main, c'est que mon muscle à moi, c'est le cerveau. Sans cerveau, pas de bateaux qui auraient découvert l'Argentine et ses succulentes tomates. Ce sont les hommes comme moi qui ont fait le monde, pas ceux qui ont bossé toute leur vie, mais les feignasses qui ont su déléguer intelligemment les tâches bêtes et répétitives à un produit de leur génie. Je le dis et le redis, pour sauver le monde, ils se

sont trompés, c'est pas le Capitaine Flam
qu'il faut appeler, mais le capitaine flemme !
Stanislas
http://lemondedejuliette.over-blog.net ... 📷

La faute aux femmes

Enfin, ce qui maintient l'homme dans sa couillon-
nerie c'est aussi la conviction de ne pas faire le
poids : s'il lave la vaisselle, sa femme ne la trouvera
pas assez bien lavée, s'il tente une explication, elle
le poussera dans ses retranchements par quelques
mots cinglants, s'il lui prépare une surprise, ça tom-
bera à coup sûr le soir où elle aura décidé de se
coucher tôt avec un bon bouquin. Pendant des siècles, les femmes se sont tues, elles ont réfléchi, analysé, observé l'homme. Nous le connaissons
comme si nous l'avions fait. D'ailleurs, nous l'avons
fait. Aucun homme ne saura jamais disséquer la
personnalité de sa moitié comme nous savons le
faire. Car quand nous nous intéressons à un
homme, toute notre attention se porte sur lui, il
devient notre première source d'intérêt, c'est flatteur mais gare au retour de bâton. Difficile d'avoir le
dernier mot avec une femme, car elle a déjà pensé
à tout. L'homme veut toujours avoir raison, mais la
femme a toujours raison. Pour l'homme, ne pas
bouger revient donc à ne pas prendre de risque.

Pourquoi l'homme est accro aux trucmachinbidules

À chacun son dada : télévision, ordinateur, jeux vidéo, motos, journaux, collections jusqu'aux plus absurdes… Observez par exemple un groupe d'hommes comparer les vertus de leur téléphone portable (nouvel attribut viril, plus accessible et facile à manier qu'une voiture) avec force démonstration et arguments techniques, c'est fascinant et ça peut durer des heures. On a envie de leur dire : « Attendez les gars, c'est JUSTE un téléphone. » Admirez avec quel art consommé l'homme réussit à ne PAS regarder la télé, en jouant de la zappette comme d'une arme de précision, même pas le temps de comprendre de quel programme il s'agit, hop, il a zappé. Espionnez l'homme quand il est sur son ordinateur, l'œil morne et le cerveau éteint, comme il gaspille des heures à ne RIEN faire sinon à cliquer pour passer d'une fenêtre à l'autre. Mettez une souris, une télécommande, un guidon, une manette, un joujou, ou un « truc à boutons » quelconque entre les mains d'un homme et, tel un petit bébé, il est occupé pendant des heures.

Du dada au doudou

L'attraction de l'homme pour tout ce qui est rationnel, fonctionnel, tangible, se traduit également dans l'attirance pour les trucmachinbidules chargés de le distraire, de le stimuler, de le shooter, de lui permettre de fuir le monde réel. Des choses qui le rassurent par leur mode d'emploi facile à comprendre, leur totale dépendance à l'utilisateur, la toute-puissance qu'elles procurent. Ces trucmachinbidules entièrement soumis à son bon vouloir fonctionnent un peu comme des doudous. Ils offrent le dernier refuge face à un monde devenu confus, irrationnel, sans repères, qui lui échappe de plus en plus. Vous trouvez ça régressif? Dites-vous que c'est le pendant masculin de la shoppingmania. Car franchement, vous trouvez ça malin d'acheter un petit top quand vous en avez déjà quinze qui dorment dans l'armoire ou de dépenser une semaine de salaire dans une robe griffée? Après tout, ça reste JUSTE une robe.

le mot de la pro

Les fabricants de jouets ont observé que, dès l'enfance, les garçons tendent à inventer de nouvelles fonctionnalités là où les filles se contentent d'usages traditionnels. Douze étudiants surdoués en mathématiques sur 13 sont des garçons. Devenus grands, ils assurent vaillamment 93 % du bricolage, déposent 99 % des brevets et ne manquent pas une occasion d'appliquer les préceptes du vénéré MacGyver, éternelle et inégalée source d'inspiration.

Le mythe de MacGyver

Il existe une autre variante de trucmachinbidules qui sert à « faire » des choses, qui permet d'obtenir un « résultat » et par là même de fournir à l'utilisateur, par procuration, une démonstration de sa compétence. Outre leur soumission à la volonté de l'homme, ces trucmachinbidules-là ont un autre pouvoir magique : ils optimisent le confort du bipède. L'homme étant génétiquement programmé pour résoudre des problèmes, les trucmachinbidules ont cette formidable faculté de fournir des solutions, le cerveau de l'homme est ainsi stimulé et il n'aura de cesse de détourner ces objets, de leur trouver de nouveaux usages au service de son ego (« c'est moi qui l'ai fait »), de son bien-être et de son âge mental. Regardez comme à chaque événement, coup média ou coup de boule, les mâles du Net abreuvent leurs congénères de séquences pastiches bidouillées en l'espace d'une nuit avec une imagination que leur compagne éventuelle ne leur connaît probablement pas (les filles, elles, arrêtent généralement de faire mumuse vers 12 ans).

L'influence de la testostérone

Depuis la nuit des temps, l'homme est en lutte contre d'autres hommes pour survivre. La testostérone lui assure la perception visuelle, la vitesse de réaction, le développement musculaire, l'agressivité requis. Un lapin pointe son nez et c'est à celui qui en fera son quatre-heures. Alors aujourd'hui où les mâles n'ont plus trop l'occasion de se battre entre eux, où ils ne sont pas tous de potentiels champions olympiques, où le travail n'occupe plus tout leur temps, où la femme choisit toute seule son reproducteur, les trucmachinbidules offrent un fabuleux palliatif. Qui a la plus grosse voiture ? Le téléphone dernier cri ? La technologie la plus récente ? Le meilleur score au jeu ?

Le truc qui fait crac, boum, huuu

Enfin, nous n'allons pas jouer les vierges pudiques et feindre d'ignorer le trucmachinbidule favori de l'homme : le « joujou extra » qui pendouille entre ses jambes (ils sont quand même officiellement 70 % à se masturber – plus 30 % de menteurs – contre 20 % des femmes). Mais au-delà de la « chose », il y a l'emballage : le corps, que l'homme considère et traite comme une machine. Ainsi, quand il a une panne sexuelle, il va chez le sexologue dans l'espoir de réparer la pièce défectueuse (« Quoi ? Comment ça, ça vient de la tête ? C'est quoi ce bouffon ? ») qui ne répond plus aux commandes centrales (en particulier le cerveau, piètre régisseur pourtant). Le problème, c'est que l'homme a aussi tendance à considérer la femme comme un assemblage de pièces : gros seins, beau cul… dont une seule suffit parfois à le mettre en émoi. D'où une ultime conséquence de l'addiction des hommes aux trucmachinbidules illustrée par ce comportement presque exclusivement masculin : le fétichisme.

Pourquoi l'homme est à l'agonie au moindre virus

Pour commencer, l'homme n'a tout simplement pas l'habitude de la maladie tellement la nature l'a globalement avantagé. Outre sa supériorité physique avec des poumons et un cœur qui fonctionnent à plein régime, Dieu – qui décidément ne peut être qu'un homme – l'a doté d'une circulation sanguine optimale, d'un système digestif plus rapide et d'une meilleure cicatrisation. Il est plus facile à soigner dans la mesure où il n'a pas notre enzyme accélérateur de métabolisme qui réduit l'activité et l'efficacité des médicaments. Ses récepteurs antidouleur étant par ailleurs plus efficaces, chaque homme est potentiellement un héros stoïque à la Rambo, capable de serrer sa douce dans ses bras à la fin du film, le visage en sang et l'épaule en charpie. Alors pourquoi, dans la vie quotidienne, perçoit-il le moindre bobo comme une attaque terroriste ?

Je suis malade, complètement malaaade

L'homme est soit en bonne santé, soit à l'article de la mort. Il ne peut concevoir aucun état intermédiaire. Un homme malade (je parle ici d'un vulgaire petit rhume, d'une angine, enfin d'un virus dont le taux de mortalité ne défraye pas la chronique) se sent seul, incompris, mourant. Personne n'a jamais été malade comme lui et tout le monde doit participer à sa souffrance. Il éructe, gémit, crache ses poumons. Un effort de plus et, c'est sûr, il meurt. Les yeux implorants, il vous demande d'abréger ses souffrances mais refuse les médicaments parce que, de toute façon, ça ne sert à rien. Vous lui faites un grog et lui tapotez la joue mais, pour lui, vous – qui n'avez encore appelé ni le SAMU ni le prêtre – êtes un monstre, une ingrate, une sans-cœur, qui pensez sans doute déjà à tout le shopping que vous allez faire avec son assurance-vie.

Performance contre endurance

D'où vient cette dichotomie de l'homme, sauveur du monde à l'extérieur et Dame aux camélias à l'intérieur ? Tout serait une question d'endurance, un domaine dans lequel pour une fois, nous serions mieux loties, grâce en particulier à une couche de graisse supplémentaire sur la peau (chouette !). Car si la femme ressent la douleur plus intensément et plus fréquemment que l'homme (rapport aux récepteurs antidouleur mal réglés), son seuil de tolérance est plus élevé. La nature l'a en effet prédisposée aux souffrances désagréables, lancinantes, sur la durée, pour la rendre apte à porter un enfant et à accoucher. L'homme, quant à lui, est physiquement capable de performances extraordinaires mais de courte durée. Il est ainsi ultrasensible aux maladies qui traînent mais également aux petits maux de la vie en général. Il serait sans doute incapable de supporter les désagréments qui représentent le quotidien de la vie d'une femme : les règles, l'épilation, le maquillage qui pique, les hauts talons, les seins lourds et les soutiens-gorge qui serrent.

Le mythe du mâle protecteur

À l'inverse, si VOUS êtes malade, ce n'est jamais grave. Vous rêviez de vous faire, enfin, dorloter ? Eh bien, continuez à rêver car, pour l'homme, il est inconcevable que vous soyez malade comme lui… d'ailleurs vous ne seriez certainement pas en train de mettre une lessive en route si c'était le cas ! Mais à vrai dire, quand il vous serine que « ce n'est sans doute pas bien grave », c'est surtout lui-même qu'il cherche à rassurer. Car s'il vous croit VRAIMENT malade, il culpabilise car il a failli. Il n'a pas su vous protéger. Pire, c'est un autre que lui qui va vous soigner. C'est pourquoi il cultive toujours une certaine méfiance envers le corps médical, lit les contre-indications des médicaments avec suspicion, doute de l'efficacité du traitement prescrit. Inconsciemment, l'idée qu'un autre sache soigner sa femme alors que lui en est incapable le gêne considérablement. C'est encore pire avec les médecins de l'âme, tous des charlatans, des escrocs aux doigts crochus qui profitent de la faiblesse de nous autres femmes, si influençables.

Mentir pour ne pas faire souffrir

Jadis, l'homme bravait tous les dangers pour nourrir femme et progéniture, il assurait leur défense contre l'ennemi et les bêtes féroces. C'est tout ce qu'on attendait de lui, c'était sa raison d'être. La survie de tous dépendait de lui. C'est pourquoi il est proprement inconcevable pour un homme de provoquer une souffrance chez sa douce. Plutôt que de prendre le risque d'un déluge lacrymal ou d'avoir à lire une incommensurable déception dans les yeux de la femme qu'il est supposé protéger, l'homme préfère lui dire ce qu'elle désire entendre. Car, c'est bien connu, la vérité blesse. Le mensonge est plus confortable. D'autant plus que l'homme ne s'embarrasse pas trop de culpabilité. Vu la paresse de son hippocampe, son cerveau n'a aucune inclination à stocker les souvenirs embarrassants. Et voilà donc le retour de l'autre grande motivation du mâle : son propre confort, une fois de plus ! Ne pas faire de vague, ne pas provoquer de drame, de complication, rester pépère. Car si l'homme ment parfois pour protéger l'autre, il ment bien plus souvent pour se protéger lui !

Antibiotique anti-mensonge

À l'inverse de l'homme, la responsabilité de la femme préhistorique était de prendre soin des membres du groupe, elle devait tout savoir, tout sentir, elle a donc développé des facultés sensorielles et extrasensorielles. C'est pourquoi l'homme qui ment est mal barré, puisqu'il a face à lui un détecteur de mensonges humain. Tout le trahit : les tics nerveux, le regard qui fuit, l'attitude de repli, les jambes ou les bras croisés, les mains cachées, les cafouillages, les incohérences, l'humeur qui dénote par rapport au verbe… La femme est conditionnée pour percevoir les moindres variations, les plus subtils changements de comportement, non qu'elle les analyse un à un, mais elle « sent » que quelque chose ne tourne pas rond. La seule façon pour un homme de s'en tirer, c'est de flirter avec la schizophrénie, de rentrer tellement dans son mensonge qu'il finit par y croire lui-même. Alors pourquoi certains hommes arrivent-ils à tromper leur femme pendant des années sans qu'elle ne se doute de rien ? À mon sens, ces femmes ont un seuil de *self* estime si bas et sont si peu en contact avec elle-même, qu'elles en perdent toute assurance. Ou alors… elles se laissent tromper, parce qu'elles le veulent bien.

Un mot de sexe

Certes, le sexe n'est pas une maladie, mais à voir la niaiserie de certains hommes en la matière, on pourrait les prendre pour des handicapés. Comme le démontre ce participant au « Maillon Faible » qui, à la question : « Quelle lettre de l'alphabet associe-t-on à la zone la plus érogène du corps féminin ? » répond : « Q ! »… mais c'est bien sûr ! Encore une fois, tout est une question de prédisposition naturelle. À l'exception de la vue plus développée et plus érotisée chez l'homme (dont le mode de fonctionnement pourrait être schématisé ainsi : tétons = érection = éjaculation), tous nos sens sont beaucoup plus développés. Les femmes sont ainsi hypersensibles :

🌸 **au toucher,** avec dix fois plus de récepteurs cutanés et une prédisposition hormonale aux caresses,

🌸 **à l'odeur,** avec un sens olfactif jusqu'à 100 fois plus développé à certains moments de leur cycle,

🌸 **au goût,** grâce à quelque 10 000 récepteurs capables chez la femme de détecter le sucré, le salé, mais aussi l'aigre, l'amer, voire le gras,

🌸 **à l'ambiance,** avec une perception accrue des phéromones traduisant toute une gamme d'émotions,

🌸 **à l'ouïe,** avec une meilleure reconnaissance des sons, de leurs variations et de leur pouvoir évocateur, ne dit-on de la femme qu'elle « jouit par l'oreille » ?

Une femme, c'est du boulot

L'homme a un mode de fonctionnement sexuel très mécanique et globalement immuable, facile à déchiffrer et à reproduire, alors que chaque femme est différente. Si l'homme a tout compris d'une femme, il lui faudra tout recommencer avec une autre, sans disposer de la variété des outils sensoriels féminins. De plus, si l'homme est relativement facile à stimuler à l'instant T puisqu'il suffit de flatter ses yeux avec un corsage affriolant ou une attitude suggestive, le processus d'excitation de la femme est beaucoup plus long et complexe. Si l'homme veut coucher avec sa femme le soir, mieux vaut qu'il commence avec un petit déjeuner au lit dès le matin. L'homme a le devoir de nous satisfaire et c'est une charge lourde, difficile, qui ne souffre aucun laisser-aller et qui n'a rien de naturel. Chaque effort qu'il fera en ce sens est noble, estimable et doit être perçu comme un véritable acte d'amour, car lui n'en a pas « besoin ». Dans l'absolu, du démarrage à froid jusqu'à l'orgasme, 3 minutes lui suffisent !

Côté homme	Côté femme
faible endurance face à la douleur	sensibilité plus forte à la douleur
médicaments plus efficaces	récepteurs antidouleur peu actifs
meilleure résistance aux infections	meilleure résistance aux virus
mythe du mâle protecteur	fantasme de maternage
ment pour se défiler et se protéger	possède un radar à mensonges
sens visuels exacerbés et érotisés	odorat, goût et ouïe plus développés
sensibilité à la vue et à la lumière	sensibilité à l'ambiance et au toucher
préliminaire idéal : 3 minutes	préliminaire idéal : 24 heures

Pourquoi l'homme, ben on l'aime quand même !

Pendant neuf longs chapitres, nous avons vu à quel point l'homme est prédisposé génétiquement, biologiquement, physiologiquement, psychologiquement et culturellement à ne JAMAIS nous satisfaire. Nous revenons donc à notre question de départ : pourquoi aimons-nous malgré tout et souvent passionnément cet être inaccompli qui nous accompagne ?

🐞 Parce que ses défauts sont parfois attendrissants et qu'en amour « on plaît plus par d'agréables défauts que par des qualités fondamentales ».

🐞 Parce qu'au milieu de tous ses vices, il a une vertu anachronique qui nous donne l'impression d'avoir un homme exceptionnel à nos côtés.

🐞 Parce que les gros bras d'un homme, ça reste fichtrement utile quand il s'agit de porter les bagages ou les packs d'eau, de déménager ou de déplacer un gros meuble…

🐞 Parce que c'est beaucoup plus simple de demander au mâle de monter une étagère sous prétexte que c'est un « travail d'homme » plutôt que de se dépatouiller toute seule – même si on en est tout aussi capable.

🌰 Parce qu'il sait jusqu'où ne pas aller trop loin, et qu'il va faire l'effort qu'il faut – pas plus, pas trop, faudrait pas qu'on en prenne l'habitude – pour ne pas nous perdre.

🌰 Parce que c'est plus pratique qu'un punching-ball et qu'il a bien du mérite, parfois, de supporter nos constantes récriminations et nos humeurs.

🌰 Parce que si nous étions deux à la maison à nous prendre la tête sur tout et sur rien, la vie deviendrait vite impossible, et que grâce à lui on est peut-être un peu moins speed, un peu plus zen.

🌰 Parce qu'avec un homme, un vrai, on ne s'ennuie jamais, on ne se repose pas sur ses lauriers, on doit rester vigilante et que c'est un défi au quotidien.

🌰 Parce que c'est super agréable de partir en vacances ou en week-end et, une fois tout organisé, tout préparé, tout emballé, de juste poser ses fesses dans la voiture et de se laisser conduire.

🌰 Parce que, ce qui est rare est d'autant plus précieux : l'homme communique si peu que quand il le fait, on récolte des pépites et on en est toute bouleversifiée.

🌰 Parce que regarder un match de foot sans un mec pour ses explications, ses insultes, ses cris, ses « oh le con ! » et ses « mais tire, bon Dieu, tire ! », ce n'est pas rigolo.

🌰 Parce qu'il n'a pas son pareil pour nous rassurer, pour nous trouver belle et nous entreprendre, même avec les 500 grammes qu'on a pris ce week-end.

🍀 Parce que, quand on entend les témoignages des célibataires en quête de l'âme sœur ou quand on ramasse à la petite cuillère une copine en plein chagrin d'amour, on est bien contente qu'il nous ait sortie du circuit.

🍀 Parce qu'on a beau être forte, c'est parfois relaxant de s'en remettre à « Monsieur-je-sais-tout » ou à « Monsieur-j'ai-la-solution », à quelqu'un qui, au minimum, saura dédramatiser les choses.

🍀 Parce que sortir la poubelle, chercher le pain le dimanche ou laver la voiture, ce n'est peut-être pas grand-chose, mais c'est toujours ça de pris et qu'on n'a pas à faire soi-même.

🍀 Parce qu'un homme, ça sait parler aux machines et être patient face à leurs bugs, là où nous bouillons de rage et n'avons qu'une envie, c'est de jeter ce maudit engin par la fenêtre.

🍀 Parce qu'il n'a pas son pareil pour nous dire, entre la poire et le fromage, qu'on est fichtrement sexy ce soir ou « avec toi j'ai vraiment tout ce que je peux attendre d'une femme, tu me passes le sel ? ».

🍀 Parce ce qu'il nous permet de sortir le joker, face à un assureur, un garagiste, un prospecteur téléphonique : « Voyez ça avec mon mari. »

🍀 Parce qu'il y a un âge et un temps où, une fois tâtés tous les melons, il faut bien en choisir un et tant pis s'il n'est pas aussi juteux qu'on l'espérait.

🍀 « Parce que c'était lui, parce que c'était moi », comme disait l'Autre.

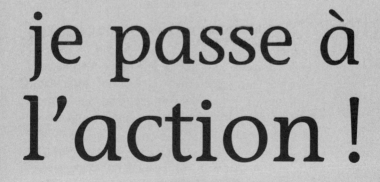

2

je passe à l'action !

Je renonce aux chimères

Ah comme ce serait bien si nous avions un homme plus tendre, plus câlin, plus attentionné, qui lirait dans nos pensées et s'évertuerait à satisfaire nos désirs plutôt qu'à succomber sans résistance à ses propres inclinations stupides pour les machines sans âme, les blondes sans cervelle, les soirées bière, les jeux à manettes ou les sports à baballe. Un homme avec qui l'on pourrait tout partager. Un homme qui nous aiderait *spontanément* dans les tâches quotidiennes, qui penserait aux dates importantes de notre couple *spontanément*, à qui il prendrait l'envie de parler de nous *spontanément*. Un homme qui saurait nous dire sincèrement et gratuitement « bouge pas, je m'occupe de tout »…

Stooop ! on se réveille et on redescend sur terre !

Cet homme nous l'avons déjà, c'est notre meilleure amie ! Ou s'il existe vraiment, il n'a nul besoin d'une femme car il a déjà un petit copain. Non, si l'homme était comme ça, c'est-à-dire comme nous, ce ne serait pas « bien ». Cessons de TOUT attendre de lui car il n'est pas fait pour ça. Notre homme n'est pas notre *alter ego* (= « un autre moi-même ») mais celui qui, par sa différence, nous remet en cause et apporte une richesse à notre vie. Vous savez, le truc de 1 + 1 qui font 3… Le tout c'est de secouer un peu l'énergumène pour en faire en membre actif de l'équation, ce serait déjà pas mal, non ?

Blog de mec ...

Un homme au masculin, ça ne mange pas de yaourt. Ça ne regarde pas le patinage artistique à la télé, ça gueule devant un match de foot. Ça ne va pas voir les blogs de filles sur Internet, ça mate les sites pornos. Ça aime Johnny. Ça rigole devant une pelote de laine, mais ça aime quand son linge est bien repassé. Ça n'a jamais vu de film avec Michèle Mercier. Ça mange de la viande et ça déteste les végétariens. Ça ne comprend la culture que « physique ». Ça aime bien les nus mais dans un magazine plus que sur un Modigliani. À la rigueur, ça tolère le tuning mais ça déteste les mecs qui le font ! Ça peut chasser à l'occasion. Ça se lave avec du savon, jamais avec du gel douche, et ne venez pas lui parler de bain relaxant ! Ça ne refuse jamais un apéro, mais de l'alcool, pas autre chose, ou alors de la bière – qui n'est pas de l'alcool pour l'homme au masculin, mais de l'amitié ! L'homme au masculin boit l'eau chaude

sans rien, et ne venez pas lui parler de thé…
Un homme qui ne respecterait pas, ne
serait-ce qu'une seule de toutes ces
conditions, cet homme-là ne pourrait pas
se prévaloir d'être un homme au masculin…
Cet homme-là, il serait un bouffeur de
yaourt ! Mercutio
(http://bouffeur2yahourt.canalblog.com/) …

Le jardin de la voisine

Oui, mais… sans doute vous arrive-t-il comme à
moi d'entendre parler autour de vous d'un homme
qui aurait tous les attributs du prince charmant et
aucun des travers, ou si peu, du « vrai homme » que
j'ai pu décrire jusqu'ici. C'est tantôt une collègue à
qui son mari prépare tous les midis un petit plat,
une amie qui reçoit un bouquet de fleurs toutes les
semaines, une voisine que son mari submerge de
mots tendres… Vous pourriez en venir à vous dire
que l'herbe est peut-être plus verte ailleurs. Peut-
être… mais plus sûrement, un bon gros bug se
cache derrière ce portrait flatteur.

Trop beau pour être vrai

Alors que vous vous pâmez d'envie face à l'image
de cet homme apparemment si parfait, il est probable qu'il trimbale en réalité de bonnes grosses
casseroles, un défaut bien gras que vous ne sup-

porteriez jamais : infidèle, colérique, lunatique, borné, dépressif, alcoolique, bigame, serial-killer… que sais-je encore ! Voyez Bree Van de Kamp dans *Desperate Housewives* qui de saison en saison égraine les fiancés plus charmants, attentionnés, généreux les uns que les autres et qui finissent tous par être de parfaits psychopathes. Cessez donc de regarder dans le jardin de la voisine et contentez-vous de faire au mieux en entretenant le vôtre. Et je vais m'empresser de vous expliquer comment, de vous livrer tous les trucs et astuces pour séparer le bon grain de l'ivraie, pour faire pousser de jolis plants malgré les lacunes du terreau.

Causes perdues

Ne nous leurrons pas : dans certains cas, les dys-fonctionnements de l'homme relèvent d'un défaut de fabrication qui ne peut être réparé à la maison, il convient alors de le renvoyer à l'usine pour le confier à des spécialistes.

❀ Si l'homme vous frappe, ne serait-ce qu'une fois…

Quittez-le ! Parce qu'il y aura d'autres fois et des pires. Si un homme n'est pas capable de contrôler l'expression physique de sa violence, il met votre vie en danger, car, face à sa force, vous ne faites tout simplement pas le poids.

❀ Si l'homme vous trompe, plus d'une fois…

Quittez-le ! J'estime qu'une entorse isolée dans le contrat peut être pardonnée, qu'il y a pire trahison que celle du sexe. Mais si le forfait se répète, c'est qu'il est volage par nature et je vous rappelle qu'un homme ne change pas dans sa nature.

🌸 Si l'homme est dépendant (de l'alcool, de la drogue, du jeu, du sexe, de vous)…

Quittez-le ! Car vous n'avez pas le pouvoir de le sauver et son addiction pourrira votre vie, celle de vos enfants, celle de vos proches…

🌸 Si l'homme est borné et incapable de se remettre en cause…

Quittez-le !…. avant qu'il ne soit trop tard, car vous aurez à faire tellement de compromis que vous finirez par en perdre votre propre personnalité, par ne plus savoir qui vous êtes pour avoir consacré votre vie à ménager sa sensibilité.

🌸 Si l'homme vous dévalorise constamment…

Quittez-le !…. mais vous aurez sans doute à passer par la case psy pour arriver à le faire, car choisir cet homme, qui vient conforter la mauvaise image que vous avez de vous-même, est avant tout le signe d'une self estime lacunaire.

🌸 Si l'homme a le « complexe de Dieu »…

Quittez-le ! S'il a l'habitude, le besoin de tout contrôler dans sa vie privée comme il le fait dans sa vie publique et professionnelle, il vous traitera au mieux comme un de ses biens… et gare à vous si vous devenez un obstacle.

Je développe la tolérance

Voilà un prérequis indispensable pour vivre en harmonie avec votre homme – et je dirais même en harmonie tout court ! Car comment voulez-vous obtenir une vraie coopération de la part de votre homme si vous l'attendez à chaque fois au tournant ? Un homme n'arrivera jamais au niveau de vos standards, souvent ridiculement élevés, avouez-le. Il ne fera jamais la vaisselle comme vous, mais est-ce un mal s'il la fait autrement ? Si, par exemple, il rince sous le robinet au lieu d'utiliser un bac, est-il indispensable de l'asticoter à ce sujet ? Pensez-vous vraiment que le soupçon de mousse que sa technique laissera passer va empoisonner toute la famille ? N'oubliez pas que l'homme ne supporte pas l'échec, il tend à l'occulter plutôt qu'à l'analyser pour en tirer des enseignements. Il

le mot de la pro

L'instinct pousse l'homme à éviter tout risque inutile, il est vite fragilisé par sa peur panique de l'échec. La femme doit réussir à lui faire comprendre qu'il peut commettre des erreurs, qu'il a le droit de se tromper et qu'il n'est pas censé avoir réponse à tout ! L'homme sous-estime le pouvoir des petites attentions et pense que la femme attend qu'il lui décroche la Lune. Il (se) promet de la combler « quand il aura gagné au Loto ». Il ignore souvent que, pour elle, la valeur a peu d'importance, c'est l'effort qu'elle estime !

ne perçoit pas votre remarque comme une opportunité d'évoluer, elle lui donne juste l'impression d'être pris par la peau du cou et plongé dans son caca tel un vulgaire toutou. Vous obtiendrez l'effet inverse de celui souhaité : il jettera l'éponge.

Quelques règles de base

Si vous voulez que votre homme vous aide :

🍀 **Demandez !** Renoncez au fantasme de l'homme qui viendrait spontanément vous proposer son appui… c'est qu'il doit vraiment s'ennuyer car sa nature domestique est plutôt du genre tire-au-flanc. Si vous ne demandez rien, vous n'obtiendrez rien. Cessez de considérer son aide comme un dû, sous prétexte que vous en faites dix fois plus que lui. Souvenez-vous que l'homme ne voit réellement pas tout ce que vous faites. Il ne se pose pas de question. Il ne se dit pas devant un frigo plein : « Super, ma femme a fait les courses, elle est géniale. » Pour lui, le frigo se remplit tout seul, la vaisselle se lave toute seule, les slips poisseux prennent naturellement une odeur de lavande fraîche et retournent comme par magie dans leur tiroir.

🍀 **Mais n'exigez pas !** Eh oui, il subsiste une subtile différence, souvenez-vous à quel point l'autonomie est un enjeu important pour l'homme. Il doit avoir le sentiment de pouvoir dire « non » sans tomber immédiatement de son piédestal. Entretenez l'illusion que c'est lui qui décide. Sollicitez-le souvent, même quand vous savez pertinemment qu'il dira non, et acceptez son refus avec bonhomie : « D'accord », « Pas de problème », « Bon, la prochaine fois alors »… Il se sentira en sécurité, accepté tel qu'il est et mieux disposé à jouer au « bon mari » quand vous reviendrez à la charge… Mais zen la charge, prenez garde de ne pas laisser filtrer votre exaspération éventuelle.

● **Soyez directe !** Souvenez vous qu'avec l'homme les sous-entendus ne sont pas entendus du tout et que vos mots sont pris au pied de la lettre. Ne lancez pas : « Comment je vais faire pour ranger la maison avant que les invités arrivent ? » Le message vous semble clair mais, pour lui, c'est juste de la philosophie. Qui suis-je ? Où vais-je ? Dans quel état j'erre ? Il ne se sent pas concerné. Soyez précise et concrète : « J'ai besoin de ton aide pour ranger la maison avant que les invités n'arrivent, tu veux bien ? » Jamais : « Tu peux m'aider… ? » que son cerveau reptilien assimile à un manque de confiance, une remise en cause de ses capacités.

● **Révisez vos standards !** Vous ne pouvez pas solliciter de l'aide et vous positionner en même temps en gardienne du temple domestique. Vous ne détenez pas la vérité universelle. Il n'y a pas qu'une bonne façon de bien faire les choses. Et l'homme pourrait vous surprendre si vous lui en laissiez la latitude. Souvenez-vous à quel point la recherche de confort peut le rendre malin, il trouvera peut-être un système alternatif, auquel vous n'avez pas pensé et qui vous fera gagner beaucoup de temps à l'avenir.

🦪 **Lâchez prise !** Cessez de jouer à l'inspectrice des travaux finis. Laissez-le remplir sa mission à sa façon, acceptez ses lacunes. S'il se trompe, s'il oublie quelque chose, sachez vous taire ! Résistez au sarcasme. Vous n'êtes pas là pour lui faire la leçon. Tout n'a pas tout le temps besoin d'être parfait. Laissez passer. L'homme a besoin d'être encouragé pour persévérer dans son effort. S'il a le sentiment d'avoir réussi sa mission, il sera forcément plus enclin à en remplir d'autres.

Bonne mais pas conne

Soyez tolérante, mais ne lâchez pas sur les enjeux importants, sur ce qui relève du respect le plus élémentaire ou sur ce qui correspond à vos besoins vitaux. Vous avez répété cent fois à votre homme de suspendre les serviettes après usage ou de mettre son linge sale dans le panier du même nom ? Répétez-le une cent unième fois s'il le faut. Mais surtout, résistez à l'envie de le faire à sa place, de lâcher l'affaire parce que c'est plus simple, parce que vous êtes fatiguée, parce que c'est perdu d'avance. Dites-vous bien, qu'il n'attend que ça ! Si vous lâchez, vous êtes fichue, cuite, perdue. Passer systématiquement derrière lui rentrera dans les mœurs. Votre pouvoir de persévérance devra être à la hauteur de sa force d'inertie. Vous allez perdre quelques batailles, mais l'essentiel c'est de gagner la guerre.

Vous n'êtes pas sa mère, vous n'êtes pas sa bonne

L'homme doit grandir et apprendre à s'assumer. Apprendre à vous assumer aussi. Par exemple, si le petit cadeau au moment des grandes occasions correspond pour vous à un besoin vital, sachez résister à ses arguments et tentatives de manipulations. Ce n'est pas tâche facile car vous savez comme il peut se montrer malin quand son confort personnel est en jeu. « Je sais jamais quoi t'offrir, t'as qu'à t'acheter ce que tu veux et je te donne les sous, d'accord ? » Pas d'accord. Trop facile. Ne renoncez pas car vous renonceriez à une part de vous-même. Les conseils de tolérance précédemment édictés n'en restent pas moins valables : aidez-le, rappelez-lui l'échéance et n'espérez pas un cadeau en parfaite adéquation avec vos désirs les plus fous.

Je cultive mon indépendance

Comme nous avons pu le constater, l'homme n'est pas un produit universel. Nous sommes de grandes filles, nous avons une vie à nous et parfois, nous n'avons pas plus besoin de notre homme qu'il n'a besoin de nous. Sachons nous émanciper de ses humeurs, lui faire comprendre que nous ne sommes pas à sa disposition, nous montrer aussi égoïstes qu'eux savent l'être et profiter pleinement de notre propre réseau.

On enterre le prince charmant

L'homme a le pouvoir de vous rendre malheureuse mais il n'a pas le pouvoir, à lui seul, de vous rendre heureuse ! Votre partenaire ne doit pas, ne peut pas représenter votre seule source d'affection, de réconfort et de satisfaction. C'est une responsabilité trop lourde à porter. Exercez-vous à vous rendre heureuse vous-même, sans forcément compter sur lui. Pour celles qui vivent encore dans le mythe fusionnel, vous aurez sans doute à vous imposer un véritable reconditionnement. Il s'agira de laver votre cerveau de toutes pensées parasites du style « je ne peux quand même pas le laisser tout seul », « il faut bien que quelqu'un repasse ses chemises » ou « il ne sait même pas comment allumer le four ». Si, il sait ! Et s'il ne sait pas, il serait temps qu'il apprenne !

Blog de filles ...

Vous avez quoi vous comme agenda ?
Moi j'ai un Quo Vadis® qui va de septembre
à septembre, parce que j'ai 4 ans dans ma
tête et que l'année commence en septembre.
Après les grandes vacances quoi, pas en
janvier, pfff, n'importe quoi [...] J'y trimballe
toujours ma vie : adresses diverses, Post-it
en tout genre, coupures de magazines
accumulées depuis des mois, cartes de
restos par milliers. L'Homme n'a évidemment
pas d'agenda. Ou plutôt il en a six mais il ne
s'en sert pas, il n'y pense pas et ça demande
trop d'efforts. Son agenda, c'est moi.
« Qu'est-ce qu'on fait samedi ? », « C'est
quand l'anniversaire de ma sœur ? » ... Je
râle que je suis pas sa secrétaire, c'est peine
perdue, je crois qu'il s'en fout complètement.
Il est de notoriété publique que c'est la
femme qui est en charge de la vie sociale
du couple, j'en suis la preuve vivante
(mes copines aussi, je ne prétends pas avoir
le monopole de ce triste état de faits).
N'empêche que si je perds mon agenda,
je perds toute ma vie sociale avec, et mon
mec aussi ! Hélène
(http://www.monblogdefille.mabulle.com/) ...

On coupe le cordon

L'homme apprécie la compagnie sans parole et aime vous savoir là, à sa disposition, même si son esprit est absent. Il aime vous retrouver dans la cuisine en rentrant le soir, pouvoir vous lancer « Chérie, tu peux m'apporter le sel » pendant le dîner, savoir que vous répondrez à sa place aux sollicitations diverses (les enfants, le téléphone qui sonne…), sentir votre présence même quand il est absorbé dans ses trucmachinbidules. Qu'importe ce que vous ressentez ou pensez, tant que vous ne venez pas perturber cet état des choses ancestral, douillet, immuable. Un « il faut qu'on parle » serait donc des plus mal venus. Le seul moyen de réveiller son intérêt, c'est de donner un gros coup de pied dans la fourmilière. Il faut que ça pique, il faut que ça gratte. Voici quelques idées :

🌸 **Ne pas préparer le dîner,** surtout si c'est vous qui le faites tous les soirs. Pour l'homme, tout ce que vous faites systématiquement va de soi. Vous pouvez toujours courir pour avoir de la reconnaissance, au contraire, il aura tendance à se permettre des remarques du style « pas terrible ce soir ». Alors, plutôt que de lui renverser un jour l'assiette sur les genoux, oubliez de temps en temps le dîner, histoire de le ramener aux réalités de la vie, de lui faire prendre conscience de la chance qu'il a d'avoir une femme qui, en rentrant du travail, s'occupe en plus du dîner… Et surtout, ne vous justifiez pas, il faut qu'il comprenne que c'est un acte volontaire, et non un accident qu'il pourrait vous pardonner en grand prince qu'il est. Vous passeriez complètement à côté du message, en l'occurrence que ce que vous faites n'est pas un dû !

🌑 **Organiser des soirées filles,** une soirée *Desperate Housewives* sur le modèle de ses soirées foot à lui par exemple, avec des tapas à la place des pizzas et, pourquoi pas, des pinacoladas à la place des bières, mais surtout défoulez-vous, criez, pâmez-vous devant les biscotos du jardinier, prenez fait et cause pour vos héroïnes… Montrez bien à votre homme que vous avez une vie sans lui et qu'elle peut être follement excitante. À moins d'avoir une passion pour l'éthologie femelle, il aura l'impression qu'un bulldozer lui est passé dessus.

🌑 **Faire deux pas en avant, un pas en arrière.** Pour attraper un homme, rien ne vaut la stratégie de l'arlésienne. Et si ça ne suffit pas, il reste l'arme absolue : stimuler sa jalousie. Déployez tous vos charmes. Séduisez à tout va. Il suffit généralement à l'homme de vous imaginer possédée par un autre pour virer cramoisi. On a floué son territoire, menacé sa virilité, attaqué sa puissance sexuelle. Il faut à tout prix qu'il récupère son bien (vous), il en va de son intégrité. Car si l'homme peut rester indifférent au fait de perdre une femme, il ne supportera pas de la perdre pour un autre. Mais à la longue, cette stratégie est épuisante et il faudra bien un jour qu'il se rende compte de l'être exquis et incomparable qu'il a à ses côtés !

:: 7 adultes sur 10 vivent en couple, 83 % sont mariés.

:: 43 % des mariages finissent en divorce, 1 mariage sur 5 est un remariage.

:: Au cours de sa vie, 1 femme sur 5 a subi des violences physiques et/ou sexuelles dans le couple, 1 femme en meurt tous les 2 jours.

:: 78 % des couples sont bi-actifs, mais l'homme consacre 1 heure par jour aux activités domestiques contre 3 heures pour la femme.

:: 100 % des divorces ont commencé par un mariage.

🌿 **Cultiver votre jardin secret.** Ne renoncez à rien pour lui qui, de toute façon, ne saura pas apprécier votre sacrifice. Vous n'êtes pas la dernière roue du carrosse, vous êtes le carrosse ! Tout ce que vous aimez, vous devez continuer à le faire et vous n'êtes pas obligée de le faire avec lui. Il n'aime pas sortir ? Eh bien vous sortirez avec quelqu'un d'autre. Il ne s'occupe pas de vous ? Laissez d'autres le faire et offrez-vous un après-midi chez l'esthéticienne. Il n'a pas envie de parler ? Enfermez-vous avec le téléphone dans la chambre et appelez la terre entière si cela vous chante… et qu'importe ce qui se passe du côté de chez lui, vous n'y êtes plus pour personne. S'il ne fait pas d'effort, tant pis pour lui. Et sachez résister à son air de chien battu. Car l'homme n'a pas son pareil pour vous faire le coup de soirées en brochette passées sur son ordinateur sans vous adresser la parole tout en jouant l'homme abandonné le soir où vous décidez de profiter de la vie… quitte à le faire sans lui.

Je communique à bon escient

La communication reste le nerf de la guerre au sein de la plupart des couples. Et dans ce domaine, nous autres femmes, prodiges de l'écoute, sommes quasiment condamnées à l'insatisfaction, à la frustration. Tout nous parle : les mots, les intonations, le corps, le rythme de la respiration, le mouvement des yeux, mais aussi les émotions, la « chimie » que l'autre dégage, alors que l'homme, lui, reste sourd à tout. Initier un échange verbal avec notre homme, c'est un peu comme deviser avec quelqu'un qui connaît à peine les rudiments de notre langue. Nous pouvons espérer une amélioration, mais certainement pas une transformation.

Blog de fille ...

Mettez quelques mecs devant un match de foot, une pizza, un film de Clara Morgane, quelques bières... et vous verrez que eux aussi peuvent être super bavards. Le problème, c'est qu'ils parlent entre eux... de quoi ? Ben, de filles, de foot, etc. Les filles sont surtout plus sociables, elles parlent entre elles, mais aussi avec la voisine, le postier... Toute en émotions, la femme a un besoin irrépressible de communiquer, de partager. Confrontée aux modèles imposés, elle veut aussi être rassurée, être la plus belle, la plus intelligente, la plus quoi ! C'est là que le bât blesse. L'homme, lui, ne pense que concret, dit non quand il pense non, dit oui quand c'est oui, et entre les deux, n'a pas de réponse.

Le suggéré, le troisième degré, c'est pas pour lui. D'où ce type de dialogues :

Elle : « Tu m'aimes ? » (Est-ce que je compte plus que tout pour toi ?)

Lui : « Bah ouais. »

Elle : « Tu trouves pas que j'ai grossi ? » (Surtout dis-moi non)

Lui : « Bah ouais. »

Elle : « Le dossier Bidule, je sais pas si je vais y arriver. » (Rassure-moi !)

Lui : « Bah si. »

Elle : « T'es bien ? » (Moi, ce n'est pas top, tu pourrais me remonter le moral ?)

Lui : « Bah ouais. »

Donc, si vous voulez obtenir autre chose que des onomatopées à vos questions, commencez par poser de VRAIES questions et vous verrez que votre homme aussi sait communiquer !

Dom

(http://menageredemoinsde50ans.over-blog.net/)

Règle d'or n° 1 : ne jamais forcer un homme à la communication

Il prétend que tout va bien mais nous le savons, nous le sentons : quelque chose ne va pas. Il se tait, mais nous insistons. Normal, avec notre cerveau multi-tâches éternellement tourmenté, nous ne savons pas comme lui échapper aux problèmes en nous jetant dans une activité quelconque. De plus, nous ne laissons jamais une personne aimée dans la détresse. Alors, nous le poussons à s'interroger, à nous dire ce qu'il pense et ce qu'il ressent. Mais lui est incapable d'analyser ce qui se passe en lui. Pourtant, il essaye parfois, parce qu'il voudrait tant nous plaire, il cherche au fond de lui, il scrute son âme mais n'y voit rien. Quand vous lui demandez ce qu'il ressent, il ne SAIT pas ! Que lui reste-t-il à faire ? Comment éliminer la sangsue (oui, vous) qui s'est accrochée à lui et qui ne lâchera prise qu'une fois repue ? Mentir ! Il vous dira donc n'importe quoi, ce que vous avez envie d'entendre ou, pire, quelque chose de pas gentil qui le débarrassa de vous mais qu'il ne pense pas vraiment. Résultat : vous êtes tous les deux perdants !

conseil
ULTRA-fille

Si vous en avez vraiment gros sur la patate, écrivez-lui une lettre. Mettez-y tout ce que vous ressentez, dites ce que vous voulez, laissez vos émotions négatives s'exprimer librement, histoire de vous en affranchir et de laisser place à de meilleurs sentiments. Inutile de remettre la lettre à son destinataire qui, dépassé, lâcherait probablement l'affaire dès la première phrase.

Règle d'or n° 2 : chercher la communication au bon endroit

Certes, il arrive fort heureusement dans un couple des moments de grâce où l'homme se lâche et laisse parler son cœur, et c'est magnifique, et on se souvient pourquoi on l'aime, pourquoi c'est lui, l'homme de notre vie. Mais ces moments furtifs et magiques sont généralement accidentels et ne peuvent être provoqués. L'homme n'a donc pas les moyens de combler notre immense et vital besoin de communication. C'est pourquoi, il faut nous résoudre, encore une fois, à trouver les vraies satisfactions en matière d'échanges intimes de qualité ailleurs que chez notre homme, au sein de notre famille, auprès de nos amies, de nos collègues, sur le Net… Votre homme n'est pas d'humeur bavarde ? Vous sentez qu'il rumine (et vous trompez probablement) ? Lâchez-lui la grappe sans culpabiliser, c'est ce que vous avez de mieux à faire, pour lui comme pour vous.

J'apprends à lui parler

L'homme n'est pas un partenaire de communication idéal, on l'a bien compris ; mais que faire quand vous devez lui parler ? Parce qu'il faut bien organiser les prochaines vacances ou la garde du fiston. Parce que vous avez un problème domestique ou familial à résoudre. Parce que vous devez prendre certaines décisions en couple. Ou parce que vous avez le cœur lourd et que vous avez besoin d'en parler avec lui.

Le traiter en « pourvoyeur de solutions » et non en « source de problèmes »

L'homme déteste qu'on lui fasse des reproches. Hélas, quand il nous voit contrariée, errant avec notre tête de chien battu, c'est DÉJÀ un reproche pour lui, le pire de tous : « Tu n'es pas capable de me rendre heureuse. » D'un autre côté, tant que nous ne lui reprochons rien, il se croit exemplaire et à égalité avec nous. Il ne s'agit donc pas de ne plus rien dire, mais d'apprendre à lui parler de façon efficace et recevable. Vous savez toutes à présent que la pire stratégie, c'est de commencer la charge avec la funeste phrase « Il (qui ça, il ?) faut (obligation = poils qui se hérissent) qu'on (qui ça, on?) parle (re-poils qui se hérissent) ». Mais quelle est l'alternative? Comment obtenir l'attention de l'homme, assurer qu'il écoute et réagisse favorablement à notre approche?

Stratégie en 12 étapes

Il s'agit là d'un sacré challenge, mais d'un challenge à votre portée si vous respectez à la lettre et avec sang-froid la stratégie en 12 étapes préconisée. Eh oui, 12 étapes pour faire passer 1 message, mais parfois la fin justifie les moyens. Le danger c'est, à un moment ou à un autre du processus, d'abuser du temps de parole si chèrement conquis pour faire payer en une fois toutes les autres fois où vous n'avez pas pu ou su lui parler. Vous pourriez même être tentée de le faire payer pour tous les autres hommes qui ne vous ont pas écoutée, ou même pour toutes les femmes à qui on n'a pas laissé la parole depuis 10 000 ans! Alors on se reprend, on retrouve d'abord son calme, on reste bienveillante, on est maligne, habile, une vraie héroïne de série policière américaine, et on n'oublie

conseil
ULTRA-fille

Le meilleur moment pour parler à un homme, c'est après l'amour. Évidemment pas juste après – une conversation entre les ronflements, ce n'est pas bien pratique – mais quand il revient à lui. Avant, il est crispé, il a du mal à entendre et à penser correctement. Après, libéré de toutes tensions, son intelligence peut migrer du sexe au cerveau, et il retrouve ainsi toute sa capacité de concentration. Et vous obtiendrez d'autant plus de lui qu'il sera enclin à se montrer reconnaissant.

pas que le but n'est pas de se défouler mais d'obtenir enfin un résultat ! Il peut arriver que, pour être sûre d'avoir son attention, vous eussiez à prendre rendez-vous, mais pour éviter le « Chéri amour, pourriez-vous me caser entre 17 et 18 heures, j'ai un truc à vous dire ? », je préconise dans un premier temps une approche plus subtile.

1. Définissez l'ordre du jour. Vu que ce n'est pas tous les jours que vous avez l'occasion de vraiment parler à votre homme, vous avez en stock tout un tas de problèmes à régler avec lui, plus importants et urgents les uns que les autres. Alors pour éviter de le noyer sous un flot de questions généralement posées toutes à la fois sans attendre de réponse (et c'est bien connu, quand on se noie, on ne peut plus parler), choisissez-en une, à la rigueur deux, et tenez-vous à ces priorités. Si vraiment votre homme est dans de bonnes dispositions, vous pourrez toujours puiser dans vos réserves, mais attention : toujours un seul point à la fois !

2. Choisissez le bon moment, le pire moment étant le retour du travail. L'homme a impérativement besoin d'un sas de décompression, minimum une demi-heure avant laquelle il n'est psychologiquement pas en état de vous entendre. D'un autre côté, une fois plongé dans son trucmachinbidule, il est trop tard puisque (petite révision) l'activité cérébrale de son cerveau est tombée à 30 % et que sa capacité d'écoute est réduite à néant. Pendant qu'il mange, ce n'est pas l'idéal non plus puisque l'homme ne peut pas faire deux choses à la fois (manger et écouter). Il faut donc attendre une « ouverture » en s'assurant qu'aucun stimulus n'est activé par ailleurs.

3. Captez son attention, l'idéal étant de parler de lui pour l'amener, mine de rien, à parler de « nous ». Pour débuter la conversation, le moyen le plus sûr, le plus cool, qui éveillera le moins sa méfiance, c'est de choisir un sujet anodin mais cher à son cœur, le sport, la bagnole, le boulot… Restez crédible cependant, n'évoquez pas un joueur de foot dont vous n'arrivez même pas à prononcer le nom. Le piège serait trop grossier, même pour un homme ! Un fois qu'il a les écoutilles bien ouvertes, qu'il a l'air bien décontracté, face à vous, les yeux dans les yeux, lancez-vous, sans en avoir l'air, style : « À propos, y a un truc dont je voulais te parler… »

4. Sachez « vendre » votre idée : fixez-vous un objectif et accordez-vous une marge pour marchander. Mettez en lumière le « bénéfice client », à savoir ce que l'acte ou le changement de comportement sollicités pourrait lui apporter comme avantages. Appliquez les techniques de base de la communication efficace (une information, puis une question) au service du résultat que vous voulez obtenir. Considérez les objections non comme des obstacles mais comme des opportunités de donner des arguments complémentaires qui conduiront l'autre tout naturellement à se rallier à votre cause.

5. Pratiquez l'écoute active. Quand l'homme consent à répondre, résistez à la tentation de tout démonter par quelques saillies verbales, de lui lancer une rafale de questions, de soupirer en levant les yeux au ciel l'air de dire : « Ça y est, il remet ça ! » Écoutez-le VRAIMENT, même s'il tente de se déresponsabiliser. Et montrez-lui que vous l'avez bien écouté et compris en répétant de façon neutre ce qu'il vient de dire : « Donc, si j'ai bien compris, tu ne ranges pas tes affaires parce que la distance entre la porte et l'armoire est trop grande, c'est bien ça ? » Et parfois il se rendra compte de lui-même de l'inanité de ses propos.

6. Rongez votre frein. Vous avez certainement quelques brassées d'avance, vu que vous avez déjà réfléchi à tout, mais lui, comme d'habitude, tombe des nues. Et quand l'homme se voit ainsi contraint de pénétrer dans notre monde éminemment complexe, il a besoin de calme et de temps pour réfléchir. Surtout, ne le stressez pas, vous lui feriez perdre tous ses moyens. Ménagez des silences qui imposent le respect. Ne vous justifiez pas même s'il ronchonne ou s'il grogne, c'est son mode d'expression habituel. Quand vous lui posez une question, laissez le temps à l'information de monter jusqu'à son cerveau, de l'analyser, de la comprendre et, éventuellement, d'y répondre.

7. Soignez votre style. Si votre priorité est de faire évoluer la situation, faites attention non seulement à ce que vous dites mais à la façon dont vous le dites.

Exprimez-vous sans qu'il se sente attaqué ou blâmé. Si votre ton est péremptoire, sarcastique, accusateur, vous viderez certes votre sac mais vous finirez par vous adresser à un mur. Au lieu de répondre, votre homme ne fera que « réagir » à votre façon de lui parler, il aura le sentiment de devoir défendre son honneur et son identité en argumentant, il dégainera des thèses désincarnées prêtes à l'emploi… même s'il sait qu'il a tort.

8. Ne haussez pas la voix, placez-vous sous le haut patronage de « modération » et de « sang-froid » car si vous laissez votre voix vous échapper, c'est votre homme qui vous échappera. Le problème n'est pas tant le volume en lui-même, mais le fait que nous autres femmes avons tendance à adopter un ton de plus en plus aigu avec parfois même des trémolos dans la voix quand nous parlons plus fort. Comme nous l'avons déjà vu, nous y perdons en crédibilité (« ça y est, elle devient hystérique ») et l'homme n'arrive plus du tout à percevoir ce que nous disons.

9. Sélectionnez les bons termes et pour en être capable, il vous faudra encore une fois contrôler vos émotions et brider leur expression. Restez factuelle et utilisez les termes au premier degré. Pas de sous-entendus mais les mots justes ! Ne dites pas : « Tu ne m'offres JAMAIS de fleurs ! » car il vous répondra : « Je t'en ai offert à la Saint-Valentin, l'année dernière, ben ça valait bien la peine si tu ne t'en souviens plus. » Parlez de vous – « je » moins accusateur que

« tu » –, dites ce que vous ressentez (ce n'est pas interdit) et surtout, ce que vous voulez, ce que vous attendez de lui, en étant aussi simple, directe, concrète et précise que possible.

10. Positivez et prenez soin de l'emballage. Quand vous devez donner un médicament à votre chien, vous l'emballez dans un bout de saucisson et ça passe mieux. Faites de même en emballant vos griefs dans une bonne dose de reconnaissance et ils passeront mieux. Sachez flatter l'ego de votre homme, dites-lui bien combien vous avez remarqué et apprécié ses efforts, que si vous lui demandez le meilleur de lui-même c'est justement parce que vous l'en savez capable. L'amour-propre marche mieux que l'amour tout court et vos signes de reconnaissance agiront comme un sésame.

11. Concluez efficacement avant d'entamer tout autre sujet de discussion, sachez obtenir un arrangement et un accord ferme sur le thème présentement abordé, au minimum un « je m'en occupe » et certainement pas un « je vais essayer ». Au besoin, fixez des étapes, obtenez des engagements intermédiaires, accordez-vous sur un délai, assurez-vous qu'il a bien saisi l'idée. Mettez-vous finalement d'accord sur un « contrat » qui consigne les responsabilités de chacun : « Je ne suis plus sur ton dos pour sortir la poubelle, mais tu t'engages à y penser tout seul et à le faire. »

12. Insistez ! Rappelez-vous que l'homme a une écoute volatile et tend à oublier ce qui l'arrange.

Souvenez-vous également que c'est un mâle, éduqué et conditionné pour résister et ce tout au long du chemin que vous tenterez de lui faire prendre. À un moment ou à un autre, vous aurez sans doute à lui rappeler son engagement. Évitez de le faire dans le style : « Tu as ENCORE oublié de chercher le pain, on ne peut JAMAIS compter sur toi. » Rappelez-lui calmement le contrat, en restant au niveau des faits qu'il a lui-même agréés et en le mettant face à ses responsabilités.

Avertissement

Ne vous faites cependant pas d'illusions. N'imaginez pas que, sous prétexte d'avoir respecté ces 12 étapes (et vous méritez une médaille, on est bien d'accord), vous n'aurez plus à y revenir. Car, c'est plus fort que lui, l'homme tend à régresser en notre présence, à se complaire dans le rôle d'adolescent attardé à qui il faut répéter *ad vitam aeternam* de ranger ses affaires, de débarrasser la table… Lui arguera que c'est de notre faute, qu'il est bien obligé de réagir ainsi puisque nous sommes tout le temps sur son dos comme l'était sa « môman ». Mais lequel des deux induit ce comportement chez l'autre ? C'est l'éternelle question, qui était le premier de la poule ou de l'œuf ?

Je le motive

Vous voulez vraiment savoir comment éduquer un homme ? Eh bien assistez, ne serait-ce qu'une fois, à une démonstration de dressage d'otarie et vous verrez à quel point le parallèle est saisissant. L'exemple du phoque serait encore plus pertinent vu qu'à la différence de l'otarie… il n'a pas d'oreilles (ça vous rappelle quelqu'un ?).

L'intervenant

Prenons donc notre brave lion de mer, 90 kg n'ayant d'autre ambition que de se prélasser entre terre et eau, au milieu d'un harem comptant jusqu'à 30 femelles. Pourquoi cet animal, qui n'a rien demandé à personne, se retrouve-t-il à faire, de plein gré semble-t-il, mille pirouettes sous les yeux d'un public ébahi ? C'est là qu'intervient tout l'art du dresseur à motiver la bête. Au départ, bien sûr, il y a la relation, la manière de tisser un lien, de provoquer un attachement avec de la patience, de la présence et pas d'insistance. L'otarie fait sa grosse tête ? Ignorez-la, et c'est d'elle-même qu'elle reviendra vers vous. Et quand elle fait des prouesses, vous croyez peut-être que vos applaudissements y sont pour quelque chose ? Que nenni, l'otarie n'y voit qu'un ban de poissons lobotomisés.

Le processus

En vérité, l'otarie réagit à un processus de motivation parfaitement orchestré :

- 🐟 un signal pour commencer l'exercice,
- 🐟 un coup de sifflet pour marquer la prouesse,
- 🐟 et hop un petit poisson dans la gueule pour récompenser l'effort et encourager à le reproduire.

C'est exactement ce processus qu'il vous faut dupliquer pour l'homme. Car, hélas, nous ne savons pas motiver nos hommes. Nous martelons nos vérités dans le crâne du mâle, en espérant qu'à force notre obstination vaincra les lois combinées de la physique et du psychique et fera rentrer les petits ronds dans les carrés. L'homme est un colosse aux pieds d'argile qui aime se sentir nécessaire, apprécié, admiré et qui a donc constamment besoin d'être flatté, valorisé, rassuré. C'est ainsi que vous obtiendrez le meilleur de lui. Reprenons donc posément les étapes du processus.

L'homme n'est décidément pas une bête comme les autres. En effet, dans le reste du règne animal, c'est le mâle qui est paré des attributs de la séduction, des couleurs les plus éblouissantes, des excroissances les plus voyantes (bon, c'est vrai qu'il en reste bien une chez l'homme, c'est toujours ça de pris). Le mâle étant supposé séduire et la femelle choisir, il lui fallait des atouts pour se démarquer, se faire remarquer de la femelle courtisée. Mais pourquoi c'est à nous maintenant de faire tout le boulot ?

🌑 **Performance :** compte tenu des nombreux handicaps inhérents à la masculinité, largement débattus jusqu'ici, songez que tout ce que vous demanderez à l'homme relève de la performance. N'oubliez jamais que les démarches qui nous sont naturelles – faire attention aux autres, discuter de tout et de rien, exprimer nos émotions, soigner et câliner, s'occuper du foyer… – relèvent du parcours du combattant pour l'homme. À chaque fois, il devra lutter contre sa tendance isolationniste, sa force d'inertie, son insensibilité congénitale, son égoïsme empirique pour trouver la motivation, l'énergie et le courage de « faire un effort », qui peut s'apparenter à un véritable exploit.

🌑 **Reconnaissance :** nous marchons tous à la reconnaissance mais le mâle encore plus que nous autres eu égard à la taille de son ego. Flattez, complimentez, louangez, n'hésitez pas à manifester ostensiblement votre admiration, n'ayez pas peur d'en faire trop (sans être sarcastique, exagérez mais restez sincère). Vous aurez l'impression d'être un peu sotte, peut-être même que ça vous arrachera les tripes d'avoir à dire « merci, bravo, t'es un champion » quand l'homme consent à bouger son petit doigt alors que vous venez de nettoyer la maison de fond en comble sans qu'il ne s'aperçoive de rien. Mais votre bien-être est à ce prix. Les compliments agissent sur eux comme les friandises sur nous, ils en voudront toujours plus et seront donc plus enclins à faire d'autres efforts pour en mériter.

● **Récompense :** Marquez la différence quand l'homme a fait des efforts pour vous satisfaire. Félicitez-le même pour les tâches les plus anodines. Faites-lui comprendre qu'il a marqué des points, qu'il est votre héros, Superman en personne. Et, en matière de récompenses, vous ne manquez pas de ressources, Mesdames, vous qui savez si bien prendre soin des autres et vous mettre à leur place. Vous avez, de plus, un formidable atout pour y arriver : le fonctionnement de l'homme est tellement plus simple que le nôtre et vous le connaissez si bien. Les voies de leur satisfaction sont si facilement pénétrables (l'ego, le ventre, le sexe), que vous n'avez nul besoin de mes conseils.

Blog de fille ...

Il est 1 h 19 du matin, je suis lovée dans les bras de Morphée alors que mon homme, vautré dans son siège de ministre en tenue de Tarzan, se livre à une de ces activités hautement intellectuelles dont seuls les mâles ont le secret : jouer aux cartes sur ordinateur (pas le poker, non, une sorte de Memory amélioré... à 1 h 19 du matin, allez comprendre !). Bref, il est donc 1 h 19 et je suis réveillée par l'orage qui gronde (l'homme, lui, bien sûr, n'a rien remarqué). Je me lève en sursaut et embarque mon

compagnon d'infortune pour aller sauver
de la pluie matelas, parasol, couvertures
et coussins. Mais le rideau de trombes
d'eau menaçantes qui nous accueille à
l'ouverture de la porte nous fige sur place.
N'écoutant que mon courage, je fonce et
la pluie qui soudain s'enfonce comme mille
aiguilles dans ma chair me fait pousser
de hauts cris. Je deviens une de ces filles
échevelées, écervelées et hystériques
que l'on voit courir en hurlant dans les films
d'horreur… la télégénie en moins (ben, avec
un matelas dans chaque main, forcément).
Pendant ce temps, mon homme se dirige
direct sur le parasol et, l'utilisant comme
un parapluie, récolte tranquillement
coussins et couvertures. Voilà pourquoi
l'homme est plus malin que la femme.
Pendant que nous pensons « les femmes
et les enfants, le parasol, les matelas, mon
rimmel, les escargots à ne pas écraser,
la paix dans le ménage et dans le monde,
d'abord », eux pensent « mon confort,
d'abord ». Juliette
(http://www.lemondedejuliette.over-blog.net/) …

Plus que de l'instinct, la femme a un véritable sixième sens relationnel. Il semblerait qu'elle ait su garder la part animale qui est en elle et que son OVN (Organe Voméro-Nasal) fonctionne comme chez les mammifères pour détecter les phéromones, ces molécules infinitésimales qui déclenchent les réactions fondamentales. C'est ainsi que, semble-t-il, elle choisit inconsciemment le mâle à son système immunitaire (= meilleur reproducteur) et à sa sueur (= compatibilité sensorielle).

Et si la bête se rebiffe ?

C'est la question épineuse qui reste : que faire si l'homme refuse de jouer le jeu ? Comment obtenir de lui le même effet qu'en tournant le dos à notre brave mammifère marin et le pousser à revenir vers nous dans de meilleures dispositions ? La femme use généralement de deux types de stratégies :

● **Gueuler,** mais elle a beau exprimer sa colère avec plus de force et de rage qu'une tragédienne italienne, l'homme a déjà débranché comme il en a la formidable capacité. Il reste stoïque en attendant que le vent tourne et que la tempête lui passe au-dessus de la tête sans même faire bouger un poil au passage.

● **Faire la gueule,** mais comme l'homme ne voit rien, ne sent rien, il faudra du temps avant qu'il ne se rende compte du caractère suspect de ce silence et encore plus de temps pour qu'il en prenne ombrage. Certes, sur la durée, cette stratégie peut le rendre malade, mais il faut vraiment qu'une femme éprouve une colère quasi pathologique pour réussir à résister au flot de paroles qui se bouscule au portillon et entretenir cette guerre froide sur plusieurs jours.

Sachant donc que ces deux stratégies sont aussi inefficaces l'une que l'autre. Que faire quand l'homme dit « oui » mais n'en fait rien ?

Il reste la solution extrême...

Mettez-le au pied du mur et créez un électrochoc en le quittant... provisoirement. Vous n'avez pas besoin de vraiment y croire, juste de le lui faire croire. Votre départ doit avoir l'air sérieux. Faites ce que vous ne feriez jamais d'habitude, donnez un minimum d'explications, un « si c'est comme ça, je me barre et ne m'attends pas ce soir » ira très bien. Au début, il pensera que c'est du bluff, un caprice tout au plus, que vous reviendrez après un bref aller-retour chez maman pour pleurer dans ses jupes. Il est donc impératif de faire durer la chose. Découchez, n'appelez pas. L'idéal serait qu'il ne sache même pas où vous êtes, ni quand vous rentrerez, ni si vous rentrerez un jour. Laissez-le se dépatouiller avec les contingences domestiques. Laissez-le vous chercher, vraiment. Plongez-le dans un état de manque et de panique. La peur de vous perdre alors qu'il vous croyait acquise peut alors provoquer une prise de conscience et le rendre plus enclin à faire des efforts... pour un temps.

Je m'adapte

Vous connaissez maintenant le mode d'emploi, passons aux exercices pratiques. L'idée étant de s'adapter aux qualités, compétences et spécificités de l'homme – goût pour la compétition, attirance pour les trucmachinbidules, capacité spatiale exceptionnelle… – pour en faire des armes de destruction massive de leurs défauts.

Problématique n° 1 : l'homme ne trouve jamais rien dans le frigo

Vous savez maintenant que le pauvre n'y est pour rien, avec sa vision au téléobjectif, il est programmé pour voir uniquement ce qui se trouve au loin et directement dans son champ de vision. Inutile de lui dire à droite, à gauche, ni de compter sur sa logique. Sans aide, le frigo reste pour lui un puits sans fond.

🕷 **La solution :** faites-lui un plan, le plus précis possible sans craindre de passer par des circonvolutions compliquées. Vous sollicitez ainsi son hémisphère droit, profitez de son excellente perception spatiale et lui donnez une mission de « chasseur de repas » tout à fait digne de ses prédispositions génétiques. Ainsi, la prochaine fois que vous serez tranquillement en train de bruncher un dimanche matin, ne dites pas à votre homme avec un brin de condescendance : « Tu peux aller chercher le beurre dans le frigo s'il te plaît ? », dites-lui plutôt : « Ô toi sans qui je ne serais qu'une petite chose affamée, tu veux bien aller dans la cuisine, ouvrir le frigo, prendre la troisième clayette en partant du haut, longer les petits-suisses sur ta gauche, tourner à droite après la mayonnaise et rapporter le beurre, garé entre le fromage et les cornichons ? »

Problématique n° 2 : l'homme tire au flanc dès qu'il s'agit de ménage

Au fond de lui, l'homme reste persuadé que les tâches ménagères font partie de notre patrimoine génétique. Vous en ferez toujours plus que lui sans même qu'il s'en rende compte car là où vous vous sentez assaillie par la saleté alors qu'il faut un microscope pour la voir, lui ne remarque ni le désordre dans lequel il évolue, ni celui qu'il crée.

🌸 **La solution :** Confiez-lui une mission. L'homme est programmé pour des rôles d'envergure, pas pour les petites attentions du quotidien. Réservez-lui donc le gros du boulot, les tâches les plus rébarbatives, assorties d'un objectif et d'un timing clairs. Plutôt qu'un vague : « Viens m'aider à ranger la maison… », préférez : « Ta mission, si tu l'acceptes, consiste à infiltrer le placard à balais, à subtiliser l'aspirateur, à le passer dans toutes les pièces de la maison. Mais attention, il faudra passer sous les meubles et der-

conseil filles

Il existe une autre solution très efficace, mais hélas onéreuse pour transformer le ménage en plaisir chez l'homme. Il s'agit d'exploiter son attirance pour les trucmachinbidules à moteur et de lui acheter le modèle dernier cri, la Roll's des centrales vapeur, la Formule 1 des aspirateurs. Plus la machine aura un fonctionnement sophistiqué, plus il aura envie de faire joujou avec et donc, d'aspirer, de repasser…

rière les tapis sans te faire attraper par les acariens. Tu bénéficieras du soutien d'une équipe de pros composée de Jules, 3 ans, pour te débarrasser des objets encombrants (pistolets, balles perdues, méchants en plastoc, ogives nucléaires…) et de ta femme, compteur arrêté à 30 ans, qui te fournira les accessoires appropriés (vieux tee-shirts, chiffons…). Tu as 45 minutes top chrono. Bien entendu, si toi ou un membre de ton équipe échouait dans cette mission, la direction domestique nierait avoir eu connaissance de vos agissements. Bonne chance ! »

Problématique n° 3 : l'homme déteste faire la vaisselle

Oui, la vaisselle mérite un chapitre à part car c'est autour d'elle que se cristallisent le plus grand nombre de disputes dans un couple. Le problème avec la vaisselle, c'est qu'il faut la faire tous les jours. Ce serait même tellement plus simple, plus rapide, de la faire à chaque repas mais comme tout le monde déteste ça (sauf les maniaques de la propreté ou les fétichistes de la mousse) Y COMPRIS LES FEMMES, on laisse la vaisselle s'accumuler. Et la guerre des nerfs commence, c'est au tour de l'homme, qui repousse, qui repousse… jusqu'à ce que la femme craque et finisse par la faire, son seuil de tolérance à la crasse et à l'odeur étant notablement plus bas. Évidemment, l'achat d'un lave-vaisselle ramènerait instantanément la paix dans le ménage, mais si l'option n'est pas envisageable, on ne va quand même pas continuer à se faire avoir comme ça !

❀ **La solution :** faites-en un jeu. L'homme est joueur et ne peut résister à la perspective d'une compétition, fut-ce contre sa tendre moitié, profitez-en ! Fabriquez un jeu de l'oie à partir d'une simple feuille A4 cartonnée et quadrillée. Remplissez les cases avec les catégories habituelles d'un tel jeu comme « passez votre tour », « rejouez »… et ajoutez des récompenses du type « massage », « invitation à sortir », « préparation d'un bon repas » et d'autres petites gâteries plus personnelles. Ensuite, à chaque fois que l'un de vous fait la vaisselle, il joue au dé, avance jusqu'à la case indiquée et l'autre devra lui fournir la récompense concernée… sauf si le joueur est tombé sur « rebelote » auquel cas, nananère, c'est à lui de refaire la vaisselle. Ben oui, il faut ce type de risque, sinon c'est plus du jeu.

Blog de mec ...

Il y a quelques jours, je propose dans un élan de romantisme d'aller faire un tour de barque [...] J'ai envie de vérifier si ces heures de rameur à la salle de sport vont me permettre d'épater Ma Crapule qui, dès les premières secondes, semble plus encline à se foutre de moi qu'à être épatée d'ailleurs [...] Les premières manœuvres sont laborieuses et là il faut avancer et surtout ne pas perdre la face ! Non pas que

Ma Crapule ferait mieux que moi
(la coordination, ce n'est pas son truc...)
mais une fillette qui ne doit pas avoir plus de
12 ans est en train d'aller plus vite que moi !
J'encaisse (avec le sourire...) les premiers
quolibets de Ma Crapule et je me ressaisis
pour finalement reprendre LARGEMENT
le dessus sur la fillette (non sans l'avoir
préalablement accusée d'avoir un petit
moteur dissimulé dans le fond de la barque).
Je trouve enfin mon rythme de croisière
et je demande en toute confiance à
Ma Crapule de me prévenir si un obstacle
se dresse sur notre passage [...]
Grave erreur ! Après 2-3 collisions
malencontreuses, je parviens quand même
à faire prendre conscience à Ma Crapule
qu'une barque n'a ni volant, ni frein et que
dire « Attention ! » à un mètre d'une autre
barque ne sert à rien... Au bout de l'heure
réglementaire de balade, je ne me fais pas
prier pour ramener la barque à bon port
car force est de constater que des
ampoules sont apparues sur chacune de
mes mains (mais je souffre en silence...).
Style Ancien
(http://bouffeur2yahourt.canalblog.com/) ...

Problématique n° 4 : l'homme ne sait pas pisser droit

Plus globalement, quand l'homme passe, la propreté trépasse ! La salle de bains se transforme invariablement en chutes du Niagara, les vêtements usagés deviennent des serpillières, les serviettes moisissent dans leur coin, les dentifrices débouchés et autres produits à l'abandon suintent tel un pétrolier trop vieux échoué en mer du Nord. Mais encore une fois, ce sont les toilettes qui reflètent le mieux l'inconséquence de l'homme, avec des éclaboussures suspectes parfois jusque sur les murs et des traces tout plein la lunette, jamais relevée.

◍ **La solution :** aidez-le à viser. Rappelons que le cerveau de l'homme est programmé pour la chasse, dès qu'il voit une proie ou un prédateur potentiel son instinct est activé. N'est-il pas le seul dans la maison capable de gagner la bataille contre une armée d'un moustique, laissant sécher tel un trophée le cadavre ensanglanté sur le mur ? Alors aidons notre homme à se montrer digne descendant de Cro-Magnon et de Lucky Luke en plaçant une fausse mouche au fond des toilettes. En bon chasseur, il va chercher à la viser et, grâce à ses capacités spatiales – calcul de la direction en fonction de l'angle, de la vitesse et de la force des vents – il devrait y arriver ! Si ça ne suffit pas, exploitez l'attirance de la queue de l'homme pour les bimbos en tout genre et remplacez la mouche par… une photo de femme nue ! Si ça marche, vous pouvez étendre le stratagème à l'ensemble de zones de conflits : une bimbo à l'intérieur du panier à linge, une bimbo au fond de la machine à laver… mais gare à ce qu'il n'en vienne pas à trouver qu'il en manque une dans son lit !

Problématique n° 5 : l'homme squatte la télécommande

D'abord, louez l'invention de la télécommande, car avant, la télécommande, c'était vous ! « Chérie, tu peux me mettre la Une… ou plutôt la Deux. » Sachez ensuite que, chez l'homme, zapper et regarder la télé sont deux concepts différents. La télécommande matérialise simplement son rêve de toute puissance. Ah, s'il pouvait faire pareil dans la vie : son patron lui cherche des noises, hop, on zappe. Il y a des bouchons, hop, on zappe. Faut sortir les poubelles, hop, on zappe… Vous voulez que votre femme vous fasse un bon petit plat ? tapez 1. Une gâterie ? tapez 2…

🌸 **La solution :** planquez-la. Pour une fois la solution est simple, car si l'homme zappe, c'est qu'il a la télécommande sous la main. S'il ne la trouve pas, il s'énerve deux secondes « Rrrrô… l'est où la télécommaaande ? » mais ne remue pas ciel et terre pour la retrouver, comme nous le ferions juste avant *Desperate Housewives*. Il est trop paresseux et pas assez motivé pour ça. Vous, évidemment, vous faites l'innocente, vous ne savez absolument pas où est passée cette satanée télécommande qui s'est barrée usant de ses boutons comme papattes sans doute. Vu qu'il ne sait pas trop quoi regarder à la télé – hors soirs de match –, vous aurez le champ libre. Mais, comme il n'a pas trop l'habitude de suivre un programme en continu, ne vous étonnez pas s'il vous demande sans cesse : « Mais pourquoi il fait ça ? », « Qu'est-ce qui va se passer maintenant ? »… et plus généralement le pourquoi du comment du quoi, comme si c'était vous qui aviez réalisé le film. De quoi vivre un vrai moment de complicité !

Problématique n° 6 : l'homme a un gros poil dans la main

Certes, nous avons déjà élaboré certaines astuces pour obtenir un peu d'aide dans le ménage et la vaisselle mais comment aller plus loin et concurrencer l'irrésistible attraction de leur trucmachinbidule favori ? Surtout en notre absence où l'homme en profite généralement pour virer légume. En revenant d'un week-end, vous retrouvez le verre dans lequel votre homme a bu à votre départ exactement au même endroit, avec juste un peu plus de poussière et une toile d'araignée autour.

🌢 **La solution :** mettez-le au défi. L'homme est programmé pour « faire des choses » et il préfère résoudre des problèmes techniques que domestiques. Qu'à cela ne tienne, confiez-lui des défis dignes de MacGyver. Arrêtez de vouloir raccommoder ce qui n'est pas cassé (votre relation) et faites

Surtout ne le vexez pas en lui donnant des conseils non sollicités pouvant induire que vous ne lui faites pas confiance. Dans la forme, plutôt que l'ordre : « Faut que tu me montes cette étagère ! », privilégiez le challenge : « Il faudrait que tu me trouves une astuce pour que je puisse ranger les boîtes de conserves en les gardant à portée de main, dans ce coin-là, tu aurais une idée ? »

l'inventaire de ce qui pourrait vraiment être amélioré chez vous. Un meuble à monter, un logiciel à mettre en place… autant de domaines dans lesquels l'homme va pouvoir déployer tout son talent, son ingéniosité, son sens pratique pour briller et se rendre utile (deux puissants stimulants). Faites-lui une liste précise de vos doléances, vous stimulez ainsi son cerveau capable de conceptualiser et de voir en trois dimensions, sans avoir à jouer le gendarme ou à vous reposer sur sa mémoire lacunaire.

Problématique n° 7 : l'homme n'est pas attentionné

L'homme n'est pas conditionné pour capter le message caché derrière « zut, il me faudrait une écharpe rouge avec ce manteau », encore moins pour s'arrêter spontanément devant une vitrine en se disant : « Oh comme c'est joli, voilà qui ferait plaisir à ma femme. » Son cerveau est trop compartimenté pour avoir cette disponibilité, il ne laisse pas son esprit vagabonder. Quand il est au travail, il est exclusivement au travail. Quand il rentre, il va droit au but et donc direct au bercail (en passant éventuellement par la case « pot avec les potes » mais jamais par celle du « cadeau pour ma belle »). Une fois à la maison, LÀ, il pense à nous… mais c'est trop tard ! Alors pour les petites attentions, si ce n'est pas dans sa nature, autant vous asseoir dessus, mais gardons un espoir pour les grandes occasions.

🌑 **La solution :** proposez un plan d'action. Renoncez au mythe du cadeau parfait qui viendrait spontanément et facilitez-lui la tâche en utilisant des méthodes stimulant son esprit cartésien. Établissez un programme (une liste des 100 cadeaux qui vous feraient plaisir par exemple). Définissez un timing et marquez les échéances (« attention dans dix jours, c'est la Saint-Valentin », c'est écrit en gros partout, certes, mais vous savez bien que plus c'est gros, moins il voit). Donnez-lui des ressources additionnelles (nom de vos magasins favoris, amis qui connaissent vos goûts et qu'il pourrait appeler…). Sachez valoriser le geste et l'effort de façon inconditionnelle. Et revenez à la charge à chaque occasion !

Je persiste et je signe

Vous l'aurez compris, éduquer son homme relève d'un équilibre subtil entre tolérance et intransigeance. Tolérance par rapport à ce qui n'est finalement pas si important et probablement plus fort que lui. Intransigeance pour tout ce qui touche au respect et à vos besoins vitaux. Ne soyez pas comme ces femmes qui donnent, donnent et donnent encore pendant des années, persuadées qu'à force de donner elles finiront par avoir un retour sur investissement. Et quand l'aigreur a finalement raison de leurs espoirs, quand elles rendent les armes et qu'elles déversent, de guerre lasse, tout ce qu'elles ont sur le cœur face à l'homme qui n'a rien vu, rien compris, et qui n'en revient pas de n'avoir eu aucun indice matériel, aucun signe extérieur de sa peine, c'est trop tard. Alors que l'autre dispose enfin du minimum de connaissance pour faire un travail dans leur sens, elles ne leur accordent plus aucun crédit, elles ne leur donnent pas la moindre chance. Il a accumulé trop de dettes. C'est la banqueroute affective.

Tout n'est pas toujours de la faute des hommes

Si vous avez trop donné sans rien demander, vous ne pouvez vous en prendre qu'à vous-même et l'homme n'est en rien responsable. Il est souvent le déclencheur mais pas forcément la source de tous les maux. Pour éviter la faillite, cessez de tout lui mettre sur le dos et apprenez simplement à donner moins… pour recevoir davantage. Prenez des mesures dès aujourd'hui pour vous imposer et n'oubliez jamais que l'homme ne voit, ne devine et ne sent (presque) rien. Il faudra tout lui dire, tout lui expliquer, en des termes clairs et rationnels. En a-t-il trop fait ou pas assez? Vous êtes sa jauge, son juge. Tout comme un enfant, il est bon qu'un homme soit confronté à certaines limites et qu'il apprenne à les respecter, qu'il se heurte à des barrières pour réaliser que le temps de sa suprématie est terminé. Partez du principe que vous êtes face à un homme de bonne volonté, prenez-le par la main et montrez-lui le chemin, soyez patiente et charitable, car toute son éducation est probablement à refaire.

Conclusion un peu tirée par les poils…

Nous avons déjà vu que la différence génétique entre les singes et les hommes était inférieure à 2 %, mais il existe à l'intérieur de la famille des singes des espèces dont les comportements ont des similitudes troublantes avec nous autres humains. Les chimpanzés, par exemple, forment une société patriarcale, dominée par des mâles politiques et agressifs aux prérogatives hégémoniques. Ils sont de nature colérique et brutale. Ils aiment la chasse et se font la guerre, avec cependant un certain sens de la justice. Ils sont peu attentifs à leurs congénères mais peuvent à l'occasion donner un coup de main altruiste. Ça vous interpelle ? Les bonobos quant à eux sont sensibles, émotifs et doués d'empathie avec une capacité exceptionnelle à se mettre à la place des autres. Ils ont un sens inné de la communication sociale et la lutte pour le pouvoir n'est pas un enjeu essentiel. Les femelles ont un rôle central et chouchoutent leur progéniture jusqu'à un âge avancé. Voilà qui doit vous paraître familier, non ? N'est-ce pas ce que nous sommes un peu, hommes et femmes, deux espèces différentes au sein d'une même famille ? Pourtant, les bonobos et les chimpanzés ne sont pas les Montaigu et Capulet de la jungle, il ne viendrait jamais à l'idée d'un membre de l'une ou l'autre espèce de nous faire le coup de Roméo et Juliette.

Notre truc en plus

Sachons donc puiser tous les enseignements de nos différences et tirer le meilleur parti de cette extraordinaire excentricité de la nature qui pousse hommes et femmes à se mélanger avec la procréation comme bonus et non comme but en soi. Parce que nous partageons avec nos amis les hommes un truc que les animaux n'ont pas, un véritable ciment pour l'accouplement, un stimulant qui nous donne l'envie, la force et le courage de bousculer la nature : ça s'appelle l'amour !

Bibliographie

:: « Les hommes viennent de Mars, les femmes viennent de Vénus », John Gray, J'ai lu, 1999

:: « Pourquoi les hommes n'écoutent jamais rien et les femmes ne savent pas lire les cartes routières », Allan et Barbara Pease, First Editions, 2005

:: Dossier : « Hommes/femmes : nos différences et comment s'en servir », Romain Bassoul, Isabelle Thomas, Virginie Urbini, Biba

:: Enquête : « Les 101 différences entre l'homme et la femme », Ewa Evler, Marie-Claire.

:: Dossier : « Homme-femme : les mystères de la différence », Gilbert Charles, Claire Chartier, l'Express 20/10/05

:: Dossier : « Hommes et femmes, sommes nous différents ? », Céline Deluzarche, linternaute.com (www.linternaute.com/science/biologie/dossiers/06/060 5-hommes-femmes)

:: « C'est (presque) toujours de la faute des hommes », Robert Mark Alter, Patrick Robin Editions.

:: Dossier : « Différences hommes femmes : C'est dans la tête ? », Catherine Maillard, Corinne Tutin, sur Doctissimo.fr (www.doctissimo.fr/html/psychologie/mag_2002/mag03 22/hommes_femmes_niv2.htm)

:: Conférence : « Cerveau féminin/Cerveau masculin », Serge Singer, publiée sur psycho-ressources.com (www.psycho-ressources.com/bibli/femmes-et-hommes.html)

:: « Sperm Wars », Robin Baker, JC Lathès, 2005

:: Etude : « Femmes » sur emapmedia.com (www.emapmedia.com/content.asp?rub=1&niv1=1&niv 2=103&page_id=191)

:: Dossier : « Le cerveau a-t-il un sexe », interview de Catherine Vidal, propos recueillis par Martine Betti-Cusso, Le Figaro Magazine, 07/10/06

:: « La femme dans la préhistoire » sur homicides.com (http://www.hominides.com/html/dossiers/femme_preh istoire.html)

:: « Génome humain : du nouveau sur le chromosome X » sur furura-science.com, Damien Larroque (www.futura-sciences.com/news-genome-humain-nouveau-chromosome-x_5857.php)

:: Article : « Différences : Mr Cerveau, Mme Cervelle », Erik Pigani, sur psychologies.com (www.psychologies.com/cfml/dossier/c_dossier.cfm?id= 1695)

:: « Le sexisme : un des fondements du capitalisme », Virginie Prégny (http://grcio.org.free.fr/siteGR/e88p14a2.html)

:: « Le ras le bol des superwomen », Michèle Fitoussi, Clamann-Levy, 1997

:: « Statistiques sur les couples et les célibataires » sur www.lesbridgets.com

:: « Halte à la violence contre les femmes dans le couple : cinq préjugés, cinq réalités » (www.prevention.ch/haltealaviolence.htm)

:: Etude : « Hommes » sur emapmedia.com (www.emapmedia.com/content.asp?rub=1&niv1=1&niv 2=105&page_id=193)

:: Enquête : « Chimpanzé ou bonobo : Reflets dans un miroir », Catherine Vincent, Le Monde, 11/08/06

Imprimé en Italie par Rotolito Lombarda - N° 108296
Dépôt légal : 04/2010 - ISBN : 978-2-0123-7204-7
23-50-7204-04-3